九州大学 東アジア環境研究機構
RIEAE 叢書 Ⅵ

東アジアの砂漠化進行地域における持続可能な環境保全

編著 砂漠化防止グループ

花書院

刊行にあたって

急激に成長するアジアでは、様々な環境問題が同時複合的に発生・深刻化しています。環境問題は防止・初期対応こそが最善であり、発生国での問題解決を担う人材の育成が急がれています。個別の環境問題に対する専門家は日本を始め各国で活躍しており、環境問題への取り組み体制は整っているかに思われます。しかし、上述した通りアジアの環境問題は複雑であり、その解決には学際的に広範な専門知が求められるため、個別の研究者によって対応できる範囲をはるかに超えています。このため、幅広い分野の専門家からなるチームの迅速な立ち上げを可能にする研究者間ネットワークの構築に加え、環境問題を総合的かつ体系的に捉え、戦略的に解決策を提示できる環境リーダーの育成が必要とされています。

地理的に大陸からの環境影響を受けやすい九州は、アジア環境問題の解決に対する強いニーズを有しており、九州大学は先端研究機関としてその責務を果たすべき立場にあります。このような背景の下、九州大学の知と技術を統合し、アジア環境研究に関する国際研究の一元的な統括と、環境リーダーの育成を同時並行的に推進するため、２００９年4月に東アジア環境研究機構が設立されました。

本シリーズは、分野の垣根を超えて組成された当機構の研究グループによって取り纏められたアジア環境研究の最前線の紹介に加え、現場で活躍する研究者らの声を受けて立ち上げられた、アジア環境問題に対する戦略的な取り組み方の習得を目指したアジア環境学入門から構成されています。

フィールドワークを中心に据えた実践的な研究活動から、最先端の応用化学技術や数値モデルシミュレーションに至るまで幅広く網羅しており、将来この分野に取り組もうとする学生のみならず、企業、行政、分野外の研究者にとってもアジアの環境問題およびその解決に向けた取り組みの最前線の全般を俯瞰できる内容となっています。

本シリーズが、アジア環境問題に対する理解を深め、環境人材の育成と持続可能な未来環境の創生への一助となることを心より願っています。

九州大学総長　久保　千春

まえがき

乾燥地は陸地の41パーセントを占める20億人もの人々の故郷である。このうちの18億人が開発途上国の住人であり、砂漠化の脅威に脅かされている。砂漠化とは「乾燥、半乾燥、乾燥半湿潤地域における、気候変動および人間の活動を含む種々の要因に起因する土地の劣化」として定義されるが、これが飢餓、貧困、そしてそれらに起因する社会的、経済的、政治的対立を生み出し、これらが一層の貧困化と土地の劣化を進める原因となっている（国連砂漠化対処条約事務局 UNCEED web site より）。

地球規模の気候変動に加え、過剰耕作、家畜の過剰放牧、森林の破壊、過剰な地下水揚水と不適切な灌漑網の構築が砂漠化を加速させているが、これらの地域における土壌流出の防止、生態系の回復、水資源の有効利用と持続的な農業活動をどのように進めるかが、重要な課題とされている。

九州大学東アジア環境研究機構では、砂漠化防止グループを組織し、中国黄土高原、モンゴル、中国ウイグル新疆自治区から中央アジア諸国において砂漠化防止に関する国際共同研究を進めてきた。本研究の大きな特徴は、風上・風下論を超えて、東アジアの環境安全保障のための新しい国際共同研究の構築をめざしていること、文理融合型の学際的共同研究によって水資源の変動を復元しようと試みている点にある。

この共同研究に参画してきたのは、九州大学のほか、日本では鳥取大学乾燥地研究センター、総合地球環境学研究所、高知大学農学部、佐賀大学農学部、中国では中国科学院水土保持研究所、西北農林科技大学、新疆大学、北京師範大学、モンゴルではモンゴル国立大学、モンゴル科学院（地理学研究所、生物学研究所、考古学研究所、地質学研究所）、韓国では慶熙大学、国立江原大学、台湾では国立台湾大学などであり、まさに東アジアを挙げて砂漠化防止に関する研究に取り組んできた。

東アジア環境研究機構によって組織された砂漠化防止グループは、今後も東アジアを中心に砂漠化防止に関する研究を展開していく予定である。本書は、砂漠化防止グループがこれまでに得てきた成果・知見を取りまとめたものであり、今後の砂漠化防止研究の一里塚としたい。本書により、読者の皆様方にも東アジアの砂漠化の現状を理解していただき、それが契機となって砂漠化防止への活動に貢献して頂ければ幸いである。

鹿島　薫・大槻恭一

目次

第1章

中国の砂漠緑化が環境に与える影響

大槻　恭一

はじめに

世界では1990~2010年の20年間に森林面積が年平均約677万ha減少しており、森林減少が地球環境問題として大きく取り上げられている。ところが、東アジアでは森林面積は年平均約227万ha増加している(表1)。ただし、森林面積増減の地域的偏りは大きい。モンゴルでは森林面積は火災や違法伐採等によって年平均8万ha減少している。北朝鮮では森林面積は年平均約13万ha減少し、1990年に68%あった森林率が、2010年には47%にまで激減している。森林率が極めて高い韓国（約63%、OECD4位）と日本（約66%、OECD3位）では、森林利用率が低く、森林率はこの20年間ほとんど変化していない。一方、近年造林・森林保護を推進している中国は森林面積を年平均約249万ha増加させ、東アジアの森林面積の増加を牽引している。

日本は『緑の列島』とも呼ばれ、至るところで森林と接することができる。長年にわたり森林率約3分の2を維持していることから、森林林業立国であるかのように映るが、近年は森林資源の持続的な利用が行われていないため、森林に関わる様々な環境問題が顕在化している。日本では森林の約41%が人工林で占められているが、長びく材価の低迷や林家の高齢化等によって放置人工林が拡大しており、2017年には50年生以上の高齢級人工林が6割を占める見込みである。間伐・主伐等の森林管理が行われない放置高齢級人工林は過密と

表1　東アジア諸国の森林面積の推移（FAO, 2010）

国／地域	森林面積（万 ha）			森林増加面積（万 ha）	平均森林増加面積（万 ha）	森林率（%）		
	1990年	2000年	2010年	1990-2010年		1990年	2000年	2010年
中国	15714	17700	20686	4972	249	16	18	22
モンゴル	1254	1172	1090	-164	-8	8	7	7
北朝鮮	820	693	567	-254	-13	68	58	47
韓国	637	629	622	-15	-1	64	63	63
日本	2495	2488	2498	3	0	66	66	66
東アジア	20920	22682	25463	4543	227	18	19	22
世界	416840	408517	403306	-13534	-677	31	30	30

なり、林内は薄暗く、林床は裸地化して、極めて脆弱な荒廃地になりやすい。また、里地・里山において周辺緑地の資源利用が激減した結果、伝統的な里地・里山のモザイク状景観が失われ、生物多様性が急速に減少している。このように、日本では人間による森林資源の利用の停滞が環境に悪影響を及ぼしている。

森林の過剰な伐採や、森林の無秩序な土地利用改変に伴う環境悪化は理解しやすい。森林は地上に樹木を展開し、三次元的に多様な環境を形成し、様々な生物を育み、長い年月をかけて土壌を形成する豊かな生態系である。森林が除去されても、湿潤な地域では森林は比較的再生されやすい。しかし、乾燥地・半乾燥地では森林再生は極めて難しく、森林が除去された跡地は荒廃地となりやすく、森林を再生するには多大な労力を要する。

例えば、中国黄土高原では過去に無秩序な農地利用によって甚大な水土流出が続いたため、現在は傾斜25度以上の斜面の農地を草地あるいは森林に戻す退耕還草・還林事業が実施され、乾燥地・半乾燥地における草原・森林の再生が進められている。それでは、造林して森林を再生すれば環境が改善され、豊かな生態系が形成されるかと言えば、事はそんなに簡単ではない。森林が適切に再生されたとしても、新たな環境変化が生じ、好ましい影響だけでなく、好ましくない影響も生じる。また、森林が再生された地域で好ましい影響が得られたとしても、他の地域には悪影響を及ぼす可能性もある。森林を年平均249万haも拡大している中国では、造林・森林保護による環境変化とその影響の多面性に直面している。中国は、2050年までに森林率を26%以上に増やす事を目標にしており、森林再生に伴う環境変化対策は極めて長期的な課題である。ここでは主として乾燥地・半乾燥地に位置する黄土高原を対象として、砂漠化防止を目的とした森林保護・緑化による環境変

表２　黄土高原の森林面積率の変遷

時代	森林面積率 (%)
西周 *	53
秦朝、漢朝、南北朝 *	40
唐朝、宋朝、明朝 *	33
清朝 *	15
1949*	6.2
1998**	7.2

*Liu and Ni（2002)、** 程等（2002）

化とその影響についてみる事にする。

中国の森林政策

中国の森林保護の歴史は非常に古い。環境保護の黄金時代と称される紀元前の周の時代には、世界で最初に「山林局」が設置され、森林保護の必要性が重視された。しかし、その後、様々な森林保護政策が繰り出されたにもかかわらず、周朝滅亡後は実質的には森林破壊が進行した。黄土高原の森林面積率は紀元前８００年の西周時代には約53％であったが、その後徐々に減少し、１９４９年の中華人民共和国建国時には約６％にまで減少し（表２）、大躍進期（１９５８～１９６０年頃）、文化大革命期（１９６６～１９７０年代後半）にはさらに減少したといわれている。ただし、中華人民共和国は建国当初から緑化政策を重視し続け、それは森林破壊が加速した大躍進期、文化大革命期においても変わらなかった。

１９７０年代以降、様々な環境政策［森林法（１９８４年制定、１９９８年改正）、環境保護法（１９８９年制定）、水土保持法（１９９１年制定）等］

が制定される中で、森林保護や緑化はいずれの政策においても重要課題の一つとして推進されてきた。また、中国政府は、中国東西の経済格差を是正するため、２０００年から西部大開発を国家重要政策課題の一つとして取り組み、その中で森林保護を大きく打ち出している。このような森林保護・緑化政策によって、森林面積は徐々に増加し、黄土高原の森林面積率は１９４９年の約６％から１９９８年の約７％へと増加傾向にある（表2）。

なお、１９５０〜１９６０年代の森林保護・緑化政策が自然災害の防止（水土流出防止、水源涵養、砂防等）によって生産活動や住民生活を安定させることが目的であったのに対し、１９７０年以降は従来の緑化政策を踏襲しつつも生態系保全を重視する政策に転換しつつある。１９９８年の長江・松花江の大洪水が契機となり、中国の森林保護・緑化政策はさらに本格化した。１９９８年には全国生態環境建設計画が公布され、全国の森林面積率を１９９８年現在の約17％から、２０１０年までに19％以上、２０３０年までに24％以上、２０５０年までに26％以上にする計画が立てられた（表３）。

林業行政においても、環境関連の政策が強化された。２００１年に開始された国家六大林業重点事業では、環境関連の天然林資源保護事業と退耕還林事業が双璧となっている。天然林資源保護事業は、天然林を回復・拡大させることを目的とした事業で、２０００年〜２０１０年の間に６１２０万haの天然林を保護するとともに、新たに８６７万haを造林する計画である。退耕還林とは、傾斜25°以上の農地を森林や草地に転換する施策である。退耕還林事業は、退耕還林および植林に適した荒山荒地への造林によって水土流出問題の解決しよう

表３　黄土高原の森林面積率の変遷

期間	森林面積（億 ha）	森林面積率（%）	材積（億 m³）	備考
1948		8.6		
1973-1976	1.22	12.7	87	第1次全国森林資源調査結果
1977-1981	1.15	12	90	第2次全国森林資源調査結果
1984-1988	1.25	12.98	91	第3次全国森林資源調査結果
1989-1993	1.34	13.92	101	第4次全国森林資源調査結果
1994-1998	1.59	16.55	112.7	第5次全国森林資源調査結果
1999-2003	1.75	18.21	124.56	第6次全国森林資源調査結果
2004-2008	1.95	20.36	137.21	第7次全国森林資源調査結果
1999-2010*	-	19.0以上	-	生態環境悪化抑制段階
2011-2030*	-	24.2以上	-	生態環境改善段階
2031-2050*	-	26.0以上	-	生態環境堤高段階

＊全国生態環境建設計画（1998）

とする事業で、２００１年～２００５年に退耕還林６７７万ha、荒山荒地造林８６７万ha、２００６年～２０１０年に退耕還林８００万ha、荒山荒地造林８６７万haを計画している。

２００３年の全国の造林面積は９１２万haで、その約91％は六大林業重点事業で造林されている（天然林資源保護造林：約69万ha、退耕還林：約３４２万ha、荒山荒地造林：約３４２万ha）。退耕還林事業による２００３年までの累積造林面積（試行期の１９９９年～２０００年を含む）は約１３３３万ha（退耕還林：約６４４万ha、荒山荒地造林：約６８９万ha）に達している。中国の人工林面積は２０１０年現在７７１６万ha（人工林率31％）で、既に人工林面積世界第一位の地位を占めているが、現在進められている緑化政策によってさらに広大な面積が森林に転換されることになっている。

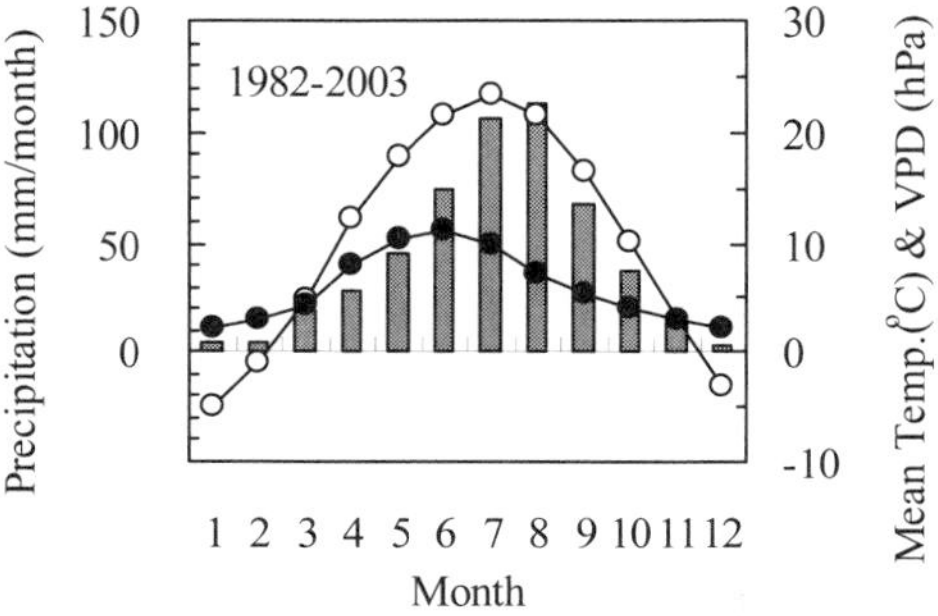

図１　中国黄土高原森林草原地帯（延安市）における降水量、気温、飽差

黄土高原における植生分布

中国では、大々的な森林保護・緑化政策が打ち出され、植林事業が着実に進行している。砂漠化防止に対しては、国家事業からボランティア活動まで様々なレベルで砂漠緑化対策が取られ、至るところで植林が推進されている。しかし、樹木は水を蒸散して光合成を行う植物であり、生存するにはそれなりの条件が必要である。ここでは、森林から砂漠に至る気候を有する黄土高原を事例として、乾燥地・半乾燥・半湿潤地の環境と植生の関係について概観する。

黄土高原は、黄河流域の上・中流域に位置し、標高１０００～２０００ｍの土地が約70％を占める総面積６４２０万haの高原で、年降水量は２００～６５０㎜、年平均気温は４～14℃である。図１は黄土高原東部の森林草原地帯に位置する陝西省延安市の降水量、気温、飽差の年変化を示したものである。降水量の約79％は５～９月の雨で占められている。雨期と蒸発散の盛んな多照高温期が一致している点では植物の生育に適しているが、冬から春にかけて降水が少ないため、春先に乾燥被害を受けやすいという

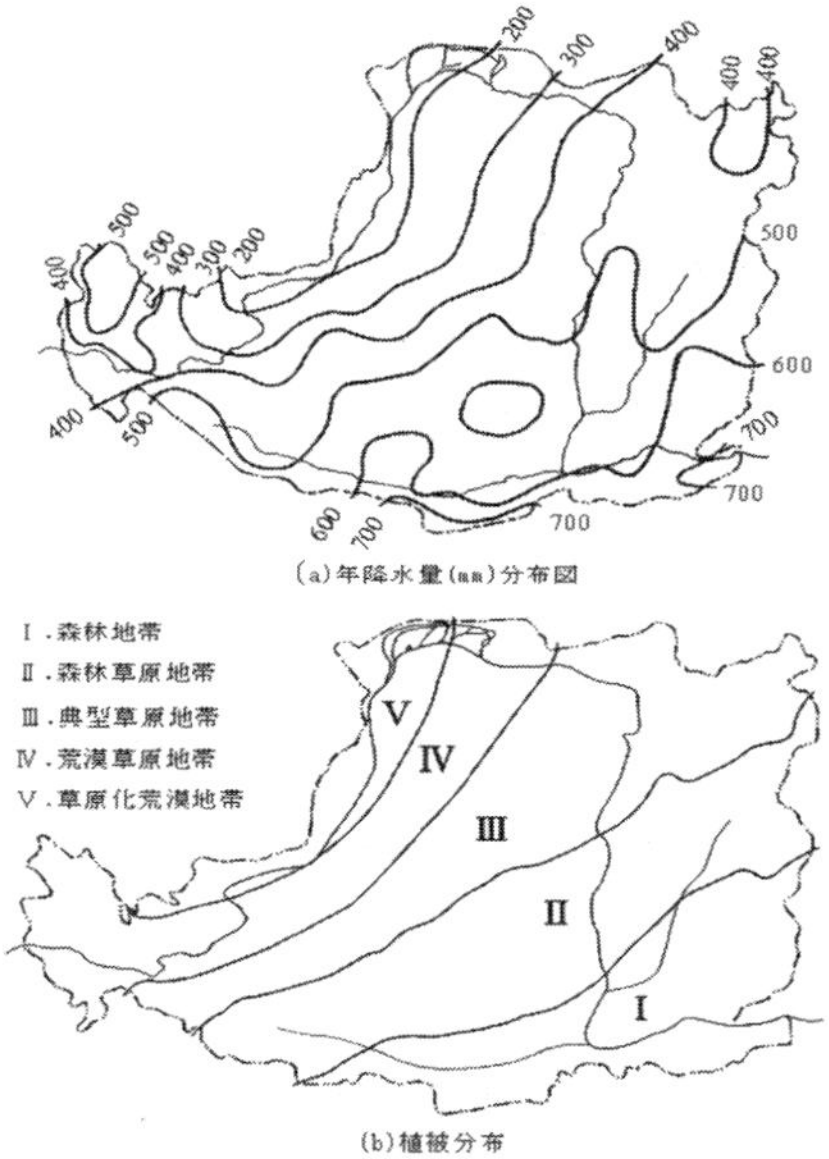

図２　中国黄土高原における年降水量と植生区分（程ら、2002に加筆）

点で植物にとって厳しい環境でもある。

図2に示すように、黄土高原では南東から北西に向かって植生は徐々に減少し、植生区分は森林地帯、森林草原地帯、典型草原地帯、荒漠草原地帯、草原化荒漠地帯の順に帯状に分布し、森林地帯、森林草原地帯が黄土高原のほぼ半分を占めている。しかし、黄土高原の森林率は約7％で、灌木を含めた森林率でも約11％に過ぎない。黄土高原の森林の約75％は天然林、約25％が人工林であるが、黄土高原の約44％を占める水土流出区では人工林が約40％を占めている。

黄土高原の森林地帯および森林草原地帯の森林は主として落葉広葉樹（ナラ属、ポプラ属、カバノキ属、ニレ属、シナノキ属、カエデ属）によって構成されており、場所によっては針葉樹であるアブラマツ（油松）、タカネゴヨウ（华山松）、カラマツ（落叶松）等と混交している。主な人工林樹種はニセアカシア（刺槐）、ヤナギ属で、他にアブラマツ、コノテガシワ（側柏）等もみられる。ニセアカシアは荒山造林先駆樹種として大規模に造林されている。灌木の種類も多く、スナジグミ（沙棘）、ムレスズメ属、ブンカンカ（文冠果）、ヤマハギ（二色胡枝子）、ノモモ（山桃）等が分布している。

黄土高原の乾燥地域における緑化と環境

ここでは、黄土高原の西部の荒漠草原地帯に位置する寧夏回族自治区沙坡頭区を事例とし、乾燥地の緑化と環境について概観する。沙坡頭区は、黄河上流域の高格里（テングリ）砂漠南東端に位置する標高１３３９ｍの砂丘地である。沙坡頭区の月平均気温は、最低月が１月で零下７℃、最高月が７月で約24℃で、地温は74℃近くまで上昇する。年平均降水量は１８６㎜、年可能蒸発散量は２９００㎜である。

沙坡頭区では、内蒙古自治区包頭市と甘粛省蘭州市を結ぶ包蘭鉄道を風害から守るため、１９５０年代から緑化による流砂固定工事が行われた。緑化工法としては、麦藁を砂丘に差し込み、高さ10～30㎝の低い柵を１ｍ四方の格子状に設置していく草方格と呼ばれる工法が採用された。この柵によって砂丘表面の風速を減速させ、砂の移動を抑え、草方格内に固砂植物と呼ばれる灌木や草本を育てていくというものである。

沙坡頭区で１９５６年から継続されている草方格の長期生態研究（Li, 2004）によれば、草方格内に植栽された灌木類は植栽後急成長し、９年後に植被率約30％、１アール当たり乾物重約40㎏に達したが、その後約５年間で植被率約９％、１アール当たり乾物重約18kgにまで急減している。その後の灌木類の減少は緩やかで、45年後には植被率は約７％、１アール当たり乾物重は約17kgとなっている。一方、草本類は草方格設置時に植栽されていないが、徐々に増加し、45年後には植被率約20％、１アール当たり乾物重約８kgに達している。草方格の０～40㎝層の土壌水分は植被の有無に関わらず降水量に対応した変化を示したが、40～３００㎝層の土壌水分は灌木植栽後約10年間の間にほぼ全層で約３％から約１％にまで減少し、その後は降水量にかかわらず約１％の乾燥した状態を保っていた。すなわち、草方格の灌木類は約10年間順調に生長したが、要求水分量が増加するのに対して土壌水分が減少したため、土壌水分約１％で生育できる範囲まで淘汰されたと考えられる。

乾燥地でも比較的樹高の高い森林が存在することがある。ただし、そのような場所は、オアシス近辺、河川・用水路沿い、谷地等の水が集まりやすい場所や、灌漑が施されて水が十分に供給されている場所に限定される。砂漠緑化と銘打った植林事業が少なくないが、年間降水量２００㎜程度の乾燥地の天水条件下では、灌木さえも生存が厳しいことを認識する必要がある。

黄土高原の半乾燥・半湿潤地域における緑化と環境

中国で植林事業が積極的に行われているのは、水土流出が深刻な半乾燥・半湿潤地域である。これらの地域では、樹木は生長に伴い水要求に見合う水分を吸水できないため生長が滞ることが多い。水分獲得が困難な土地に植栽された樹木は、湿潤年には生長するが、乾燥年には水ストレスを受けて枯れ下がり、幹だけが太るこ

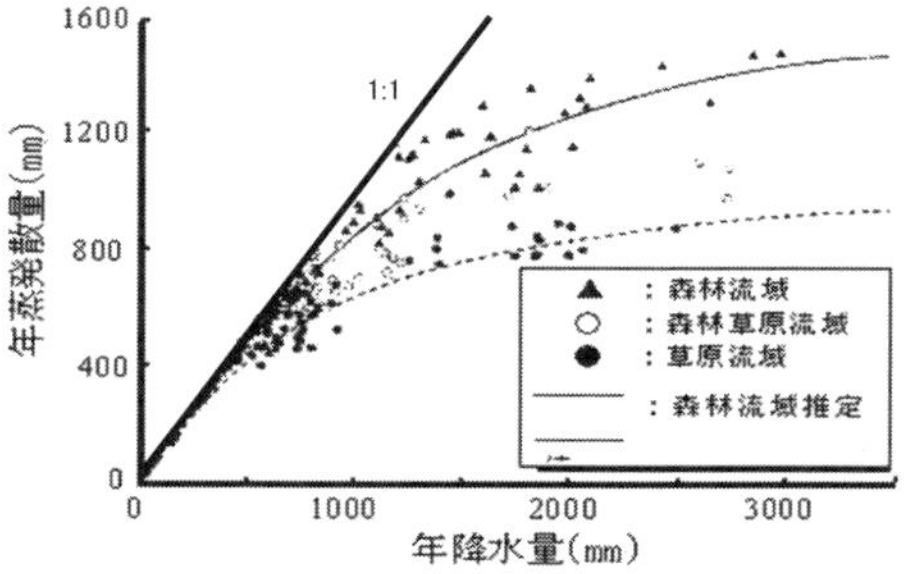

図３　世界の森林・草地流域の年降水量と年蒸発散量の関係（Zhang et. Al., 2001）

とになる（小老樹と呼ばれている）。このように、半乾燥・半湿潤地域では水の獲得は樹木にとって死活問題である。したがって、中国の半乾燥・半湿潤地域では、植林による水土流出防止効果が期待される一方で、樹木の水消費による水源涵養機能の低下が懸念されている。このため、中国では、流出量、土壌水分量、蒸散量、光合成量などの測定に基づいて、水源保護に適した樹種に関する研究、集水に適した造林方法に関する研究が広く行われるようになった。

一般に半乾燥～半湿潤地域の森林流域では降水量の大半が蒸発散量として消費されるため、流出量は極めて少ない（図３）。したがって、水土流出抑制機能を発揮させつつ、水源涵養を損なわない森林管理が模索されている。このような状況下、荒廃地の緑化樹として黄土高原をはじめ中国で広く造林されているニセアカシアが環境に及ぼす影響が問題となっている。

ニセアカシアは北アメリカ東部原産の落葉広葉樹で、１６００年に庭園緑化木としてフランスとイギリスに導入され、ヨーロッパ全土に普及した。ニセアカシアは年降水量１０００～１５００㎜の比較的湿潤な気候区の原産であるにもかかわらず乾燥に強く、窒素固定機能があるため栄養分の乏しい荒廃地でも生育可能である。さらに、ニセアカシアは初期生長が早く、３～５年間で地表を樹冠で覆うことから、18世紀以降世界各地で荒廃地緑化樹として造林されるようになった。ニセアカシアはアグロフォレストリーにも広く導入されており、現在ではユーカリ、ポプラに次ぐ植林樹種として世界で三番目に普及している。

ニセアカシアが中国に導入されたのは１８９８年であり、その後、外来樹種として最も広く造林されている。ニセアカシアは早生樹の特徴を発揮し、中国において水土流出抑制に大いに貢献してきた。ただし、ニセアカシアは20～25年程度は順調に育つものの、その後生長が滞り、小老樹化する傾向にある。また、ニセアカシアは光を好み、強光条件下でも光合成・蒸散があまり抑制されないため、土壌水分の消費が激しく、土壌深層に乾燥層を形成することが報告されている。ニセアカシアは根萌芽によって分布を広げ、ニセアカシア林には他の樹種が侵入定着することが困難であり、生物多様性に乏しいことも指摘されている。

以下、著者らが延安市近郊の公路山で観測した結果に基づき、近接するリョウトウナラを主体とする天然林（30～50年生）と封山されたニセアカシア人工林（25年生）の環境を比較する（Otsuki et al., 2013）。

胸高直径１㎝以上の樹木の毎木調査の結果、天然林の立木密度は２３７５本／ha、構成樹種は12種で、リョウトウナラが個体数で約28％で胸高断面積で約54％を占めていた。一方、ニセアカシア林の立木密度は３４２５本／ha、構成樹種はわずか2種で、ニセアカシアが個体数・胸高断面積ともに約93％を占めていた。天然林の胸高直径は主に5～30㎝の範囲に広がっていたが、ニセアカシア林の胸高直径の約90％は10～15㎝であった。すなわち、天然林は多様な樹種・樹齢の樹木で構成されているのに対し、ニセアカシア林はほぼ同年齢の単一樹種で構成されており、環境変化に対して適用が困難な脆弱な生態系であると考えられる。

天然林の下層植生は主として低木であるのに対し、ニセアカシアの下層植生は一年生の草本類であった。したがって、ニセアカシアの林床の植被率の季節変動・年変動は激しかった。特に前年の冬から当該年の春にかけた期間の降水量が少ない場合、ニセアカシア林の下層植生は乏しかった。天然林の林床は落葉・落枝（リター）で覆われ、腐食層が存在するのに対し、ニセアカシア林の林床にはリターはほとんど堆積せず、裸地化しており、腐食層も存在しなかった。このように、下層植生が乏しく、リター層が存在せず、土壌は裸地化する傾向にあった。

土壌の水の浸み込みやすさの指標である浸透能は、天然林が最も高く、裸地が最も低かった。なお、天然林でも最終浸透能は61㎜／hrで、日本における森林の平均最終浸透能258㎜／hrを大きく下回っており、本試験地の浸透能は著しく低いことが明らかにされた。裸地の最終浸透能21㎜／hrは日本における歩道の値13㎜／hrに近かった。ニセアカシア林の最終浸透能38㎜／hrで、天然林と裸地のほぼ中間的な値であった。

張ら（2004）は黄土高原東部のニセアカシア林、アブラマツ林、草地、農地において表面流流出実験を行い、ニセアカシア林は下層植生やリターがほとんどないため、アブラマツ林や草地と比較すると表面流速抑制機能・浸蝕抑制機能が小さいという結果を得ている。公路山における土壌水分の測定結果によれば、天然林、ニセアカシア林のいずれも表層5㎝の土壌水分は降雨に対応して急増するが、ニセアカシア林の場合、土壌深度が深くなるに従って降雨に対する土壌水分の反応が鈍くなった。これらのことから、ニセアカシア林では、降雨がリターに遮られることなく直接土壌面に到達することや、降雨強度が浸透能を上回る可能性が高いこと

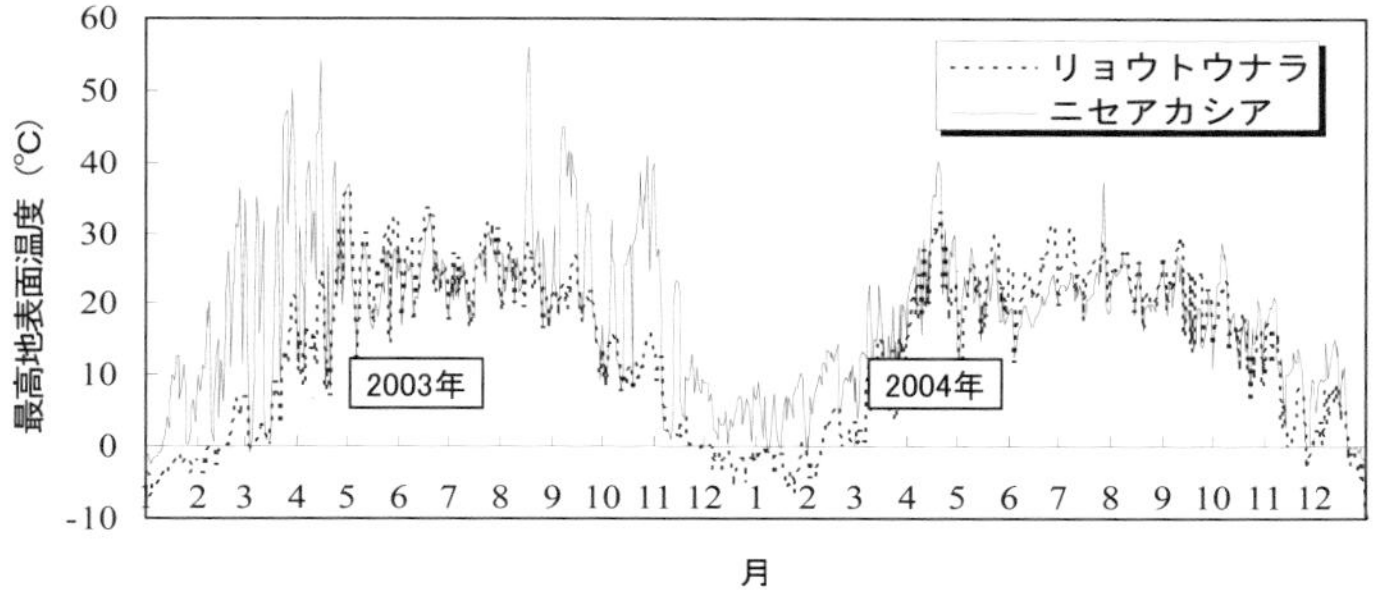

図４　遼東ナラ林とニセアカシア林における最高地表温度の季節変化（延安市公路山）

から、表面流出が発生しやすいと考えられる。なお、公路山のニセアカシア林では、リターや雑草が肥料・飼料として人為的に利用されていないが、ニセアカシアの落葉の分解速度が速く、林床面の風速が強いことなどから自然発生的に林床が裸地化しているようであった。

天然林では４月中旬から約2週間で一気に開葉するのに対し、ニセアカシア林では４月中旬頃から約5週間かけて開葉していた。これより、天然林では乾燥害が懸念される春先にすばやく樹冠を閉じ、林床への強光の到達を妨げているが、ニセアカシア林では開葉が遅いため春先に林床に強光が到達し、林床の加熱、乾燥を抑制できない可能性が高いことが推察された。

図４に最高地表面温度の年変化を示す。図より、樹冠が閉じる5月から8月までは天然林とニセアカシア林の最高地表面温度はほぼ等しいが、秋から翌年の春にかけてはニセアカシア林の最高地表面温度は天然林より高くなることが分かる。特に２００３年のニセアカシア林の最高地表面温度は極めて高く、しばしば40℃を上回り、50℃を上回る日もあった。一方、２００４年の両者の差は比較的小さく、天然林の最高地表面温度がニセアカシア林の値を上回っている日もあった。２００３年と２００４

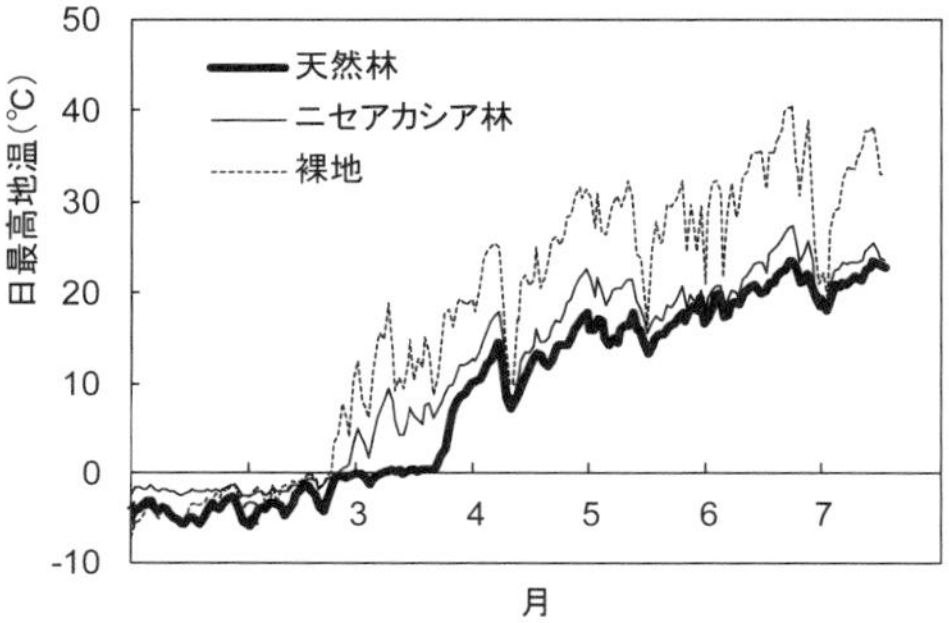

図５　陝西省公路山における10cm深さの日最高地温（2005年）

年では、ニセアカシア林の下層植生に大きな差が見られた。ニセアカシアの林床は、２００３年には下層植生が乏しく、ほぼ裸地状態を呈していたのに対し、２００４年には草本類が繁茂していたことから、この下層植生の変化がニセアカシア林の地温に大きな影響を与えたと考えられる。

図５に深さ10㎝の最高地温の推移を示す。最高地温は、裸地およびニセアカシア林では2月下旬には0℃を上回っているが、天然林では0℃を上回るのは3月下旬に入ってからである。裸地では、季節を問わず日射は地表面に直達する。ニセアカシア林でも、落葉期の日射透過率は高く、リターが存在しないため、日射の大半が樹冠を透過し林床地表面に直達する。したがって、裸地およびニセアカシア林では、春先の気温の上昇と日射による加温により土壌中で凍結していた水分が融解すること、その土壌水分が蒸発によって失われ土壌が乾燥することによって、2月下旬頃から急激に地温が上昇し始めたと考えられる。一方、天然林では、落葉期でも幹・枝が水平に展開し、低木が多く、リターが地表を覆っているため、地表面における日射透過率は低い。したがって、春先でも土壌水分の融解が遅く、3月下旬頃からようやく土壌水分が融解し始めたと考えられる。このことから、天然林では土壌中で凍結した水分が春先に徐々に融解し、乾燥害の

発生が抑制されているのに対し、ニセアカシア林では林床の風速が強く、春先の温暖化と日射の増加によって土壌水分が早々に失われ、土壌が高温・乾燥化しやすい環境が形成されていることが推察される。

孙（２００２）は、異なる九樹種（針葉樹四種、広葉樹五種）の二年生苗木の個葉蒸散速度を測定し、ニセアカシアの蒸散速度が最も大きく、水分利用効率（光合成量／蒸散量）も上位に位置することを報告している。また、単木の樹液流量を測定し、単木レベルでもニセアカシアの蒸散量は上位に位置することを報告している。また、樹液流量を林分蒸散量にスケールアップし、同じ樹齢で同じ植栽密度であれば、ニセアカシア林分の蒸散量はアブラマツ林分と比較して蒸散量がかなり多いことを指摘している。杨（２００４）はニセアカシアとアブラマツの一年生苗木を異なる土壌水分条件下で育て、ニセアカシアは水分消費量・生長量ともにアブラマツより大きいが、土壌水分が制限されるとアブラマツより生長が抑制されやすいことを報告している。杨（１９９４）は14年生ニセアカシアの地形による生長の差を比較し、ニセアカシアは水分の比較的豊富な谷部では良く生長するが、乾燥しやすい尾根部では生長が悪いことを示している。このように、ニセアカシアは多水分消費型の樹木であり、根を８～10ｍ程度の深さまで伸ばすことができるため、土壌深層に降水による水分補給が困難な長期乾燥層（永久乾層とも呼ばれる）を形成することが懸念されている（杨、２００４）。

孙（２００２）は、中国の半乾燥地では、ニセアカシアが10～20年生くらいになると蒸散量に見合う水分を確保できなくなる可能性が高いので、７５０本／ha程度の密度に管理すべきであると提案している。王（２００１）は、ニセアカシアの適正林分密度は１０００本／ha程度であり、３３３０本／haの林分密度では生産力は著しく劣ることを実証している。中国ではニセアカシア林の薪炭林的な利用の減少等により、非常に過密（3000～4000本／ha）なニセアカシア林が多い。ちなみに、公路山試験地のニセアカシア林の林分密度は3175本／haである。すなわち、中国では、多くのニセアカシア林は蒸散によって地域の水資源を多量に消耗するものの、生長が抑制され、健全な状態に保たれていない。なお、孙（2002）は、水分消費の多いニセアカシア林でも、適切に密度管理することによって、無林地よりも水資源涵養機能が大きくできることを提示している。

このように、中国の半乾燥・半湿潤地域では、ニセアカシア林は外見では森林であるが、環境はむしろ裸地に近いことがある。また、ニセアカシアは20～25年生になると水不足のため枯れ下がりを繰り返し、不健全な状態にあるにもかかわらず、他の植生の侵入を阻害し、地域の生物多様性を著しく損なう可能性が高い。初期緑化樹種のニセアカシア林を他の森林に遷移させていくことは難しく、拡大したニセアカシア林の取り扱いは世界的な問題となっている。森林破壊が環境に大きな影響を与えることはよく知られているが、緑化も環境に大きな影響を与えることを認識する必要がある。

砂漠緑化が中国を貫流する黄河に与える影響

日本の河川は急峻で短いという特徴が挙げられる。明治時代のオランダの御雇技術者デレーケが日本の川（富山県の常願寺川）をみて「これは滝である」と評したことから分かるように、日本最長の信濃川でさえ全長

３６７㎞であり、全長数千㎞におよぶ世界の河川と比較すると著しく短く急峻である。したがって、日本では河川の上・中・下流域の住民の利害関係は直接的であり、長く激しい闘争・論争を経て、流域住民の間に「相互のバランスを配慮した土地利用・河川管理が必要である」という認識が醸成されてきた。

一方、長大な河川の場合、上・中・下流域の利害関係は間接的で時間的遅れが大きいため、総合的な流域管理は極めて難しい。中国では近年黄河の流量が著しく減少している。１９７０～１９９０年代には黄河下流に水が届かない断流が頻繁に発生した。黄河の流量減少の主な原因として上・中流域における多量の農業・工業用水・生活用水の使用とともに、砂漠緑化等の水土保全事業の進展が挙げられている。長大河川においては、上・中流域の開発や土地利用変化が下流域に予期せぬ影響を及ぼすことがあり、自然科学的にも社会科学的にも解決が難しい事態が数多く発生している。そこで、気候と流域規模において日本の河川と対極にある中国の黄河流域を対象として、中国の湿潤～乾燥～半乾燥～半湿潤地を横断する長大河川流域における緑化政策と水資源問題の葛藤について検討する。

黄河は青海省巴顔喀拉山の北麓に端を発し、青海、四川、甘粛、寧夏、内蒙古、山西、陝西、河南、山東の九省を貫流して渤海に注ぐ流路長５４６４キロ、流域面積75万平方キロの大河で、その規模は中国第2位、世界第10位である（図６）。黄河は、豊かな水と肥沃な黄土を流域にもたらし、紀元前５０００年頃から農耕が始まる素地を与え、中国の文明を育んできた。一方、「水を治める者は天下を治める」という諺が示すように、黄河は時代を問わず様々な形で災害をもたらし、流域住民に治水の試練を与え続けてきた。紀元前６００年から数えると、黄河では約１６００回の大規模堤防決壊と、26回の大きな流路変更が記録されている。すなわち、

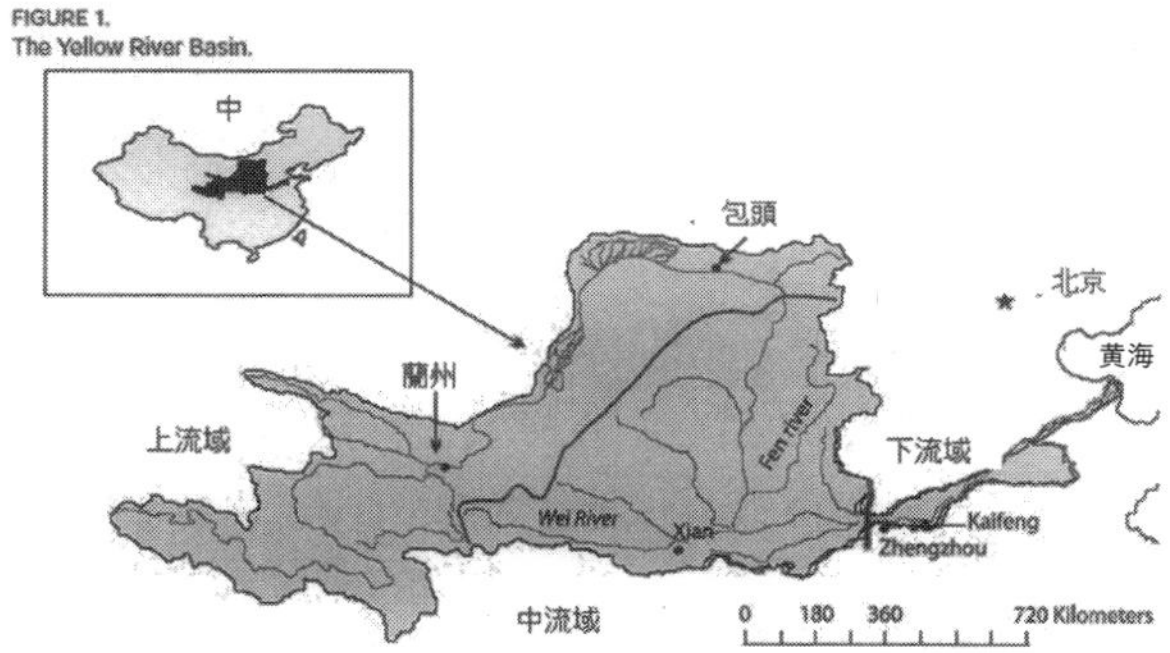

図６　黄河流域の上・中・下流域分布（Giordano et al., 2004）

黄河では3年に2回は大規模な堤防決壊があり、１００年に１回は流路が大きく変更されてきた。

中国政府はこのような甚大な黄河の洪水災害対策に取り組み、大規模な堤防決壊を抑止するなど、治水には一定の成果を治めてきた。しかし、近年、水不足が深刻になり、黄河の主要な水管理問題は治水から利水へと変容しつつある。端的に言えば、黄河の水管理問題は、「黄河が住民に与える害を防ぐ」ことから、「住民が黄河に与える害を防ぐ」ことへと変貌している。

黄河流域は、上・中・下流域でその在り方が大きく変化する（図7）。

上流域　青海省巴顔喀拉山から内蒙古自治区包頭市下流に位置する河口鎮量水所までの流域で、全流域面積の約五四%、全流量の約60%を占めている。蘭州市以西の源流域は湿度が高く、蒸発散量が少ないため、流出率は30~50%と高く、蘭州量水所において上流域全流量の56%を集水している。しかし、蘭州から乾燥地の寧夏自治区、内蒙古自治区を通過する間に、多量の河川水が蒸発するとともに、流域で展開されている灌漑農業と急速に発展しつつある工業によって多量の水が取水されるた

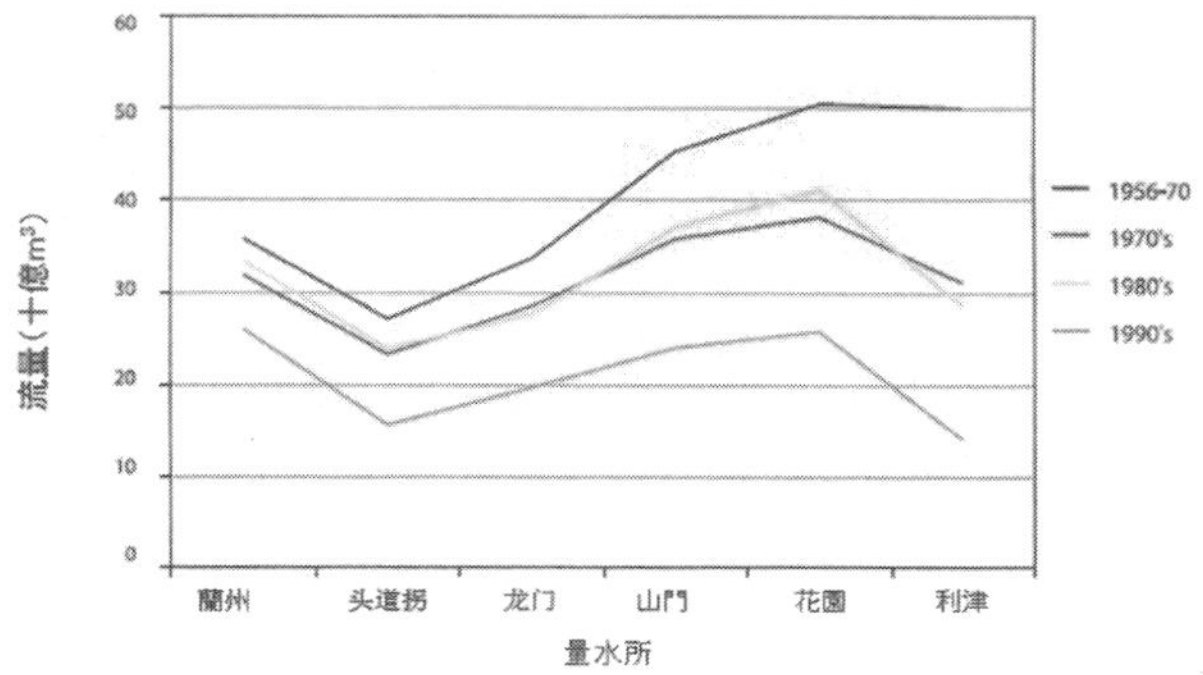

図７　黄河の流量変化（Giordano et al., 2004）

め、この区間で黄河の流量はかなり減少する。

中流域　河口镇量水所から河南省鄭州市近傍の花園口量水所までの流域で、渭河、汾河等の大きな支流を有し、全流域面積の約43％、全流量の約40％を占めている。中流域に位置する黄土高原では、過度に進んだ森林破壊と、無理な農耕に起因する大規模な水土流出が頻発し、黄河に流入する土砂の90％はこの区間で発生する黄土高原の土壌侵食に端を発するといわれている。

下流域　花園口量水所から渤海河口に至る流域で、全流域面積の３％程度である。中流域で黄河に含まれた多量の黄土は、下流域のデルタに堆積するため、黄河下流域では大規模な流路変更が古来より頻発してきた。近年、技術革新によって堤防が安定し、流路変更が抑止されたが、一方で黄土の堆積が進み、10メートルを超える天井河床が散在している。

黄河の流量は１９７０年代から減少し、特に１９９０年代には著しく減少している。１９９０年代の流量平均値は、１９５６年～２０００年の平均値より約24％少なくなっている。その結果、黄河では１９７２年以降黄河の水が黄海まで到達しない断流が頻発した（図８）。特に、

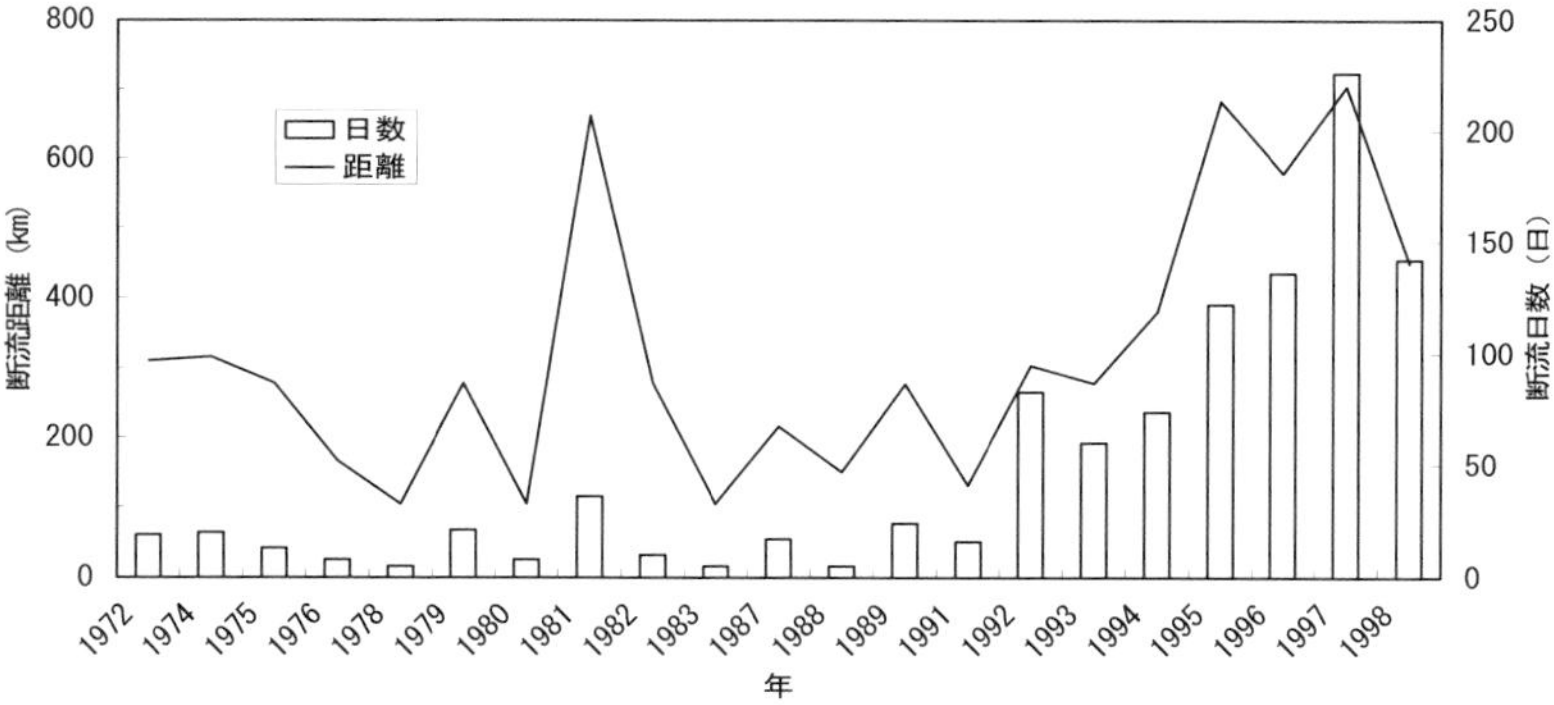

図８　黄河断流の推移

１９９０年代から断流日数、断流距離が急増し、１９９７年には、２２６日間の断流日数が記録され、断流距離も７０４キロにも及んだ。２０００年～２００８年に黄河断流は発生していないが、予断を許さない状態が続いている。

黄河の流量減少の影響は著しい。まず、下流域において用水が確保できなくなり、農業・工業・生活用水が大幅に制限されるようになった。また、水環境容量が減少した結果、水質汚染が進行するとともに、河口地域の生態系が壊滅的な打撃を受け、生物多様性が著しく損なわれつつある。さらに、流量減少によって黄河下流域で土砂の堆積が堤外地に集中し、現在80％以上の土砂が主河道に堆積している。その結果、主河道の河床が上昇し、新たな形で洪水の危険性が増大している。

黄河の流量減少は自然と人為の要因が重なって発生したと言われている。自然的要因としては、降水量の減少が筆頭に挙げられている。しかし、１９９０年代の降水量より少なかった１９２０～１９３０年には断流は発生しておらず、黄河の流量減少は主として人為的な影響によるとされている。黄河の流量減少の人為的な要因として最も影響の大きいのは用水量の急増である。１９８８～１９９２年から１９９８～２０００年の約10年間の間に、黄河流域の年用水量は３０７億㎥[1]から３７２億㎥[1]まで約21％増加している。用水量の大半は農業用水で占められており、１９８８～１９９２年には農業用水が約92％を占めている。農業用水量は１９９８～２０００年の約10年間に約12％増加しているが、全体に占める割合は約85％に減少し、工業用水、農村生活用水の比率が急増している。人為的な要因として、水土保全事業（退耕還林等の緑化事業、梯田・チェックダム等の建設）の普及が挙げられている。特に、緑化による森林の拡大は水土保全に大きな効果をもたらすが、一方で地域の蒸発散量（水損失量）を大きく増加させる。近年、さらに環境用水に対する需要も高まってきた。黄河水利委員会は、黄河に溜まった黄土を海に排出させるために年約２００億㎥の環境用水が必要であるとしている。しかし、その量は１９９０年代の用水量の約半分に相当するため、現状ではこれだけの環境用水を確保するのは不可能に近い。

　黄河からの土砂流出量も近年大きく変化した。黄土高原は50万年前から黄河に多量の土砂を供給してきた。黄河への土砂供給の約90％は黄土高原によってもたらされると言われている。黄土高原の土砂供給は紀元前５～10世紀から増加し、西暦10世紀～１９５０年に森林破壊と農地の拡大によって急増した。黄河下流の花園口における土砂流出量は、紀元前10～40世紀には年３～７億㎥であったが、西暦10世紀には年15～16億㎥に増加した。しかし、近年の水土保全対策や流域水管理によって黄河の土砂流出量は著しく減少し、２０００～２００７年の土砂流出量は年1億㎥にまで減少している。その結果、黄河河口および渤海では黄河からの淡水の供給だけでなく、土砂および土砂に伴うリンやケイ素等の栄養塩の供給不足に窮している。

まとめ

中国では緑化が大規模に推進されているが、緑化は生態系にとって諸刃の剣となる。例えば、黄土高原では緑化によって水土流出が抑制されるものの、緑化された森林からの蒸発散量の増大によって土壌が乾燥し、水源からの流量が減少するため、黄河の流量が減少し、流域に様々な環境問題を引き起こしている。また、現地の水条件に適さない樹種による緑化は、水土流出抑制の効果が期待されるものの、生物多様性の喪失等の悪影響を及ぼす可能性もある。なお、森林面積の増加による蒸発散量の増加は水文循環を変化させ、結果として可能蒸発散量を低下させる（Wang et al., 2001）、また降水量の増加をもたらす（王、２００１、孙、１９９９）という研究成果も提示されている。したがって、中国では緑化と水資源保全に関する精力的な調査研究が続いているが、黄河という長大な河川を通じて両者の影響が長期間でかつ広範囲に及ぶため、より総合的な流域管理を検討する必要がある。

◎参考文献

Giordano, M., Zhu, Z.P., Cai, X.M., Hong, S.Q., Zhang, X.C. and Xue Y.P. : Water management in the Yellow River Basin : Background, current critical issues and future research needs, Comprehensive Assessment Report 3, Colombo, Sri Lanka, 2004

程国民，万惠娥：中国黄土高原植被建设与水土保持，中国林业出版社，北京，2002

Li, X.R., Ma, F.Y., Xiao, H.L., Wang, X.P. and Kim, K.C. : Long-term effects of revegetation on soil water content of sand dunes in arid region of Northern China, Journal of Arid Environments, 57, pp.1-16, 2004

Liu G.Q. and Ni W.J., On some problems of vegetation rehabilitation in the Loess Plateau, Proc. 12th ISCO Conference, pp.217-222, 2002FAO　2010　Global Forest Resources Assessment 2010 ain Report, 340

孙长忠，黄宝龙：黄土高原"林分自创性"有效水分供给体系的研究，生态学报，19(5), pp.614-621, 1999

孙鹏森，马履一：水源保护树种耗水特性，中国环境科学出版社，北京，2002

王克勤：集水造林与水分生态，中国林业出版社，北京，2001

Wang S., Fu, B.J., He, C.S., Sun, G. and Gao, G.. . A comparative analysis of forest cover and catchment water yield relationship in northern China, Forest Ecolog and Management, 262, 1189-1198, 2011

杨建伟，梁宗锁，韩蕊莲，吉士东：不同土壤水分下刺槐和油松的生理特性，植物资源与环境学报，13(3), pp.12-17, 2004

杨新民，扬文治，马玉玺：纸坊沟流域人工刺槐林生长状况与土壤水分条件研究，水土保持研究，1(3), pp. 31-35, 1994b

Zhang, L., Dawes, W.R. and Walker, G.R., Response of mean annual evapotranspiration to vegetation changes at cathment scale, Water Resource Research, 37, pp.701-708, 2001

張建軍，清水晃，坪山良夫：中国黄土高原における源位置表面流流出試験，森林総合研究所研究報告，3(2), pp.185-191, 2004

コラム

鳥取大学乾燥地研究センターの歩み

恒川　篤史（鳥取大学乾燥地研究センター）

乾燥地研究センターの生い立ち

乾燥地研究センターは、日本で唯一の乾燥地研究を主務とする組織であり、国内の乾燥地研究の中核を担ってきた。なぜ鳥取で乾燥地研究なのだろうか。鳥取と言えば、鳥取砂丘を思い浮かべる人が多いが、鳥取大学における乾燥地研究の起源は砂丘にある。1923年には鳥取高等農業学校（現鳥取大学農学部）に湖山砂丘試験地が設けられ、砂防造林の研究が開始された。すでに90年以上、鳥取大学では砂丘と関わる研究を続けてきていることになる。

1958年には鳥取大学農学部附属砂丘利用研究施設が設置された。これが現在の乾燥地研究センターの前身である。そして1990年に砂丘利用研究施設が乾燥地研究センターに改組され、同時に鳥取大学の全学組織として位置付けられた。さらに2009年に創設された文部科学省の共同利用・共同研究拠点の制度により、乾燥地科学拠点として認定されて今日に至っている。

写真１　乾燥地植物資源バンク室で管理されているジャトロファ（中米原産）。住民生活を向上するバイオ燃料植物として期待されている。

共同利用・共同研究拠点として

乾燥地研究センターは、１９７８年以来、国内の研究機関・大学との間で乾燥地に関する共同研究を実施している。２００９年からは共同利用・共同研究拠点として、引き続き公募による全国共同研究を実施している。毎年12月には共同研究発表会が開催され、全国から多くの研究者、大学院生等が集まり、研究成果の発表、ポスター発表等を行い、共同研究者相互の情報交換が盛んに行われている。

研究種目としては、特定研究、重点研究、一般研究、若手奨励研究、研究集会という五つの研究種目を設けており、ここ数年は、平均すると70件程度の共同研究が採択・実施されている。

２０１２年には、乾燥地植物資源バンク室を開設した。乾燥地植物資源バンク室では、乾燥地に生存する植物や耐乾性の作物品種・系統などを組織的に収集・保存・増殖・評価して、共同研究者らに提供している。さらに保有している植物に関する情報や研究成果を収集し、提供植物にこれらの情報を付加することで、植物資源の研究利用価値を高めている。

主な研究課題

乾燥地研究センターにおける主な研究課題は、第一に乾燥地における農業生産の向上である。限られた水資源を有効に活用する節水栽培技術の開発、耐乾性の高い作物品種の改良（育種）、あるいは植物の耐乾性メカニズムの解明といった研究が行われている。

第二に、砂漠化土地の修復である。乾燥地では、水食・風食による土壌侵食や、塩害などによって劣化した土地が広くみられる。これらの劣化地を土壌改良や緑化によって修復する研究が行われている。

第三に黄砂発生プロセスの解明・発生源対策の研究である。モンゴル、中国等から飛来する黄砂は、日本にとっても大きな環境問題となっている。そこで黄砂がどのようなメカニズムで発生するのか、それが人や自然にどのような影響を及ぼすのか、そしてそれをどう食い止めるのかといった研究が行われている。

これらの研究成果として、２０１３年度には、乾燥地研究センターより3冊の書籍が刊行された。Springer 社より出版された「Restoration and Development of the Degraded Loess Plateau, China」（恒川篤史、劉国彬、山中典和、杜盛　編集）」は、２００１～２０１０年度に中国科学院水土保持研究所と共同で行った黄土高原での研究成果をまとめたものである。

丸善出版からは「乾燥地を救う知恵と技術－砂漠化・土地劣化・干ばつへの対処法（鳥取大学乾燥

写真２　アリドドームの前で。アリドドームはガラス温室と乾燥地環境を再現する人工環境制御施設を備える。

地研究センター監修　恒川篤史編集代表）」が刊行された。これはグローバルＣＯＥプログラム（２００７～２０１１年度）の成果である。

さらに黄砂プロジェクト（２０１１～２０１５年度）の主たる対象であるモンゴルでのきれいな写真を集めて「モンゴル　黄砂を辿る（鳥取大学乾燥地研究センター監修　鳥取大学黄砂プロジェクト編）」が今井出版より刊行された。

これからの課題

上記のように、乾燥地研究センターは農学部より生まれ、今でも農学系の研究者がその中心となっている。確かに乾燥地での食糧生産を確実なものとするため農学研究は、乾燥地科学における重要な分野ではあるが、乾燥地の問題はほかにも貧困や健康の問題、雇用や産業創出など多岐にわたる。

じつは鳥取大学には、農学部のほかに、医学部、工学部、あるいは社会経済系の教員を多く抱える地域学部があり、これらの人的資源を活用することができれば乾燥地研究はさらに広がりを持つことができる。

そこで鳥取大学では、２０１５年１月、新たに国際乾燥地研究教育機構を創設し、全学的な乾燥地問題への取り組みを開始している。世界の砂漠化・土地劣化・干ばつの問題は依然として深刻な課題として残されており、乾燥地研究センターは我が国の乾燥地研究者と手を携えて乾燥地研究をより一層進めていかなければならないと考えている。

東アジア乾燥地の塩害と塩生植物の利用

山中　典和（鳥取大学乾燥地研究センター）

東アジアの塩害

塩害とは土壌に含まれる塩分が植物の生育に与える様々な障害のことである。この場合の塩（えん）は単に塩化ナトリウム（Nacl）のみを指すのでなく、陽イオンと陰イオンが結合した物質の総称を意味する。塩害は、海水の影響を受ける沿岸域でも見られるが、何といっても広大な面積で塩害が発生しているのが乾燥地である。乾燥地では塩類が地表部に集積している「塩類集積地」が広い面積で存在しており、中国の西北部から中央アジアにかけて営まれる乾燥地域の農業に深刻な影響を与えている。塩が集積した土壌は、その性質から塩性土壌やソーダ質土壌に分けることができる。

乾燥地における塩類集積地としては、自然状態で塩類が集積（一次的塩類集積）した場所がみられる一方で、人間による不適切な水管理の結果引き起こされた二次的塩類集積地も多く存在している。乾燥地では土壌からの蒸発が降水量を上回るため、農業での過剰な灌漑、排水システムの不良などによって地下水位が上昇すると、塩分を含んだ水が毛管現象により地表面に達し、水分が蒸発した後には塩分だけが地表面に集積することになる。これが乾燥地で典型的な二次的塩類集積と呼ばれるもの

写真１　新疆ウイグル自治区の塩類集積地。白く写っているのが、地表に集積した塩

であり、乾燥地で農業を行う場合の一番の問題になっている。

東アジアで塩害が大きな問題になっている場所の１つとして、中国の新疆ウイグル自治区を挙げることができる。ここは中国の最も西に位置し、タクラマカン砂漠があることで知られているところである。さらに、シルクロードに伴う歴史遺産は多くの観光客を引きつけている。しかし、このタクラマカン砂漠でも塩類集積は大きな問題になっており、砂漠の周辺部のシルクロード沿いには、至るところ、地表面が白色となった塩類集積地をみることができる（写真１）。

塩害は、土壌中に含まれる塩分、特にナトリウムが植物に与える害（ナトリウム障害）と、土壌中の塩濃度が高まることにより、土壌の浸透圧が上昇し、植物の根が水を吸えなくなる害（吸水阻害）とに分けることができる。通常の植物は塩に弱く、土壌中の塩濃度が少し上昇するだけで塩害を受けてしまう。身近な作物では、インゲンマメ、ニンジン、イチゴ、タマネギ、レタス、サツマイモ等は塩分に極めて弱い作物で、海水の30分の1から60分の1程度の塩水で収量が減少

写真２　新疆ウイグル自治区で塩害を受けたワタ畑

してしまう。逆にオオムギ、テンサイ、ワタ等は塩に強いことが知られており、海水の6分の1程度の塩分濃度まで耐えることができるとされている。特にワタは、中国の新疆ウイグル自治区から中央アジアの乾燥地にかけて広く栽培されており、乾燥地農業の中心的な位置をしめる。しかし、このような塩に強いワタ畑でも、土壌の塩濃度が上昇して塩害が生じている現場が多く見られるのが現状である（写真2）。

塩害対策と塩生植物の利用

塩害は乾燥地農業の最も重要な問題の一つで、様々な分野からその対策が進められている。塩害を回避するには灌漑農地の適切な水、土壌管理が不可欠であり、塩害を起こさないための節水灌漑法や、灌漑水を適切に排水するシステムの配備が大切になる。より塩に強い作物を作るための品種改良や塩害を受けにくい作物栽培法の開発も必要である。

また、既に塩が集積した土壌では適切な方法での土壌修復を行う必要がある。物理的手法としては、塩の集積した土壌表面を機械で取り除く方法や、塩の集積をもたらす土壌中の毛管現象を遮断するための土壌改良等が行われており、大量の水が利用可能な場合では、地表面の塩を水で洗い流す方法（リーチング）も行われる。また、強いアルカリ性を示すソーダ質土壌の改良には、化学的手法として石膏や塩化カルシウムの投与も行われる。これらに加え、近年注目を集めているのが塩に強い植物（塩生植物）を用いた土壌修復である。

塩生植物とは、通常の植物では正常な生育を行うことができないような高塩分条件下でも生育可能な植物を意味し、イネ科、カヤツリグサ科、イグサ科、キク科、アカザ科（現在の分類体系ではヒユ科に含まれる）、ギョリュウ科等、様々な分類群の植物で認められている。

塩生植物を用いた塩類土壌修復で着目されるのが、塩生植物の耐塩性と塩の吸収能力である。塩類が集積した土地に塩生植物を植えて、土壌に集積した塩を植物によって吸収、除塩するというやり方である。例えば、作物として食用になる塩生植物を栽培し、収穫することにより、植物が吸収した分の塩を畑地から取り除くことが出来る。好塩性作物として、様々なアカザ科（ヒユ科）植物（例えばテーブルビート等）の栽培が試みられている。

より広域的な塩類集積地の修復には樹木の植栽も行われる。東アジアの塩類集積地で良く植栽される耐塩性樹木の1つにギョリュウ科のタマリスク類（*Tamarix* spp.）がある。タマリスク類は種類が多く、中国では19種ほど知られている。いずれの種も程度の差はあれ、優れた耐乾性と耐塩性を有する樹木である。葉の表面に塩を分泌し体外へ排出する特殊な組織（塩腺）を有することでも知られ、

写真3　中国陝西省定辺でタマリスクの植栽試験を行う、中国科学院の馬永清教授

塩の吸収に優れている。

中国の黄河中流域では、実際に塩類集積地で大面積のタマリスク植林が行われている。タマリスクを塩類が集積した土地に植栽し、塩を吸収させ、その後伐採利用することにより、塩をその土地から排除することが可能となる。内蒙古自治区のダラッ旗では塩類集積地に植栽したタマリスクを約5年サイクルで伐採利用しており、伐採後は切り株からの萌芽による再生が行われている。さらに、植栽されたタマリスクが水を吸収することにより、地下水位の低下、蒸発抑制を通じた塩類集積の抑制効果も期待できるとされている。また、中国科学院水土保持研究所の馬永清教授は薬用植物として珍重される寄生植物（ニクショウヨウ）を、タマリスクを用いて栽培する研究に取り組んでおり（写真3）、塩生植物の経済的利用にも展望が開けつつある。

しかし、まだまだ現実には中国の西部から中央アジアの乾燥地では塩類集積により放棄された農地が広がっている。日本に住んでいると、塩害をはじめとする乾燥地の環境問題は、なかなか実感できないが、食糧を海外に大きく依存する日本にとって他人事ではないのも事実である。

乾燥地における、より持続可能な農業が国際協力により進められることが望まれる。

参考文献
高橋英一（1987）自然と科学技術シリーズ　生命にとって塩とは何か　農文協
篠田雅人編（2009）乾燥地科学シリーズ2　乾燥地の自然、古今書院
山本太平編（2008）乾燥地科学シリーズ3　乾燥地の土地劣化とその対策、古今書院

第2章

砂漠化の進行とその背景としての自然環境変動

鹿島　薫

はじめに

初めてモンゴルを訪問したのは、2006年6月であった。その後、毎年渡航を繰り返してきた。この間のモンゴルの変貌をひとことで表すならば「繁栄」に尽きるであろう。ウランバートル市内は建設ラッシュであり、新しいビル、ホテル、ショッピングモールがどんどん作られている。もちろん、市民生活レベルも年々飛躍的に向上している。

これに対して、モンゴルの自然環境の変貌をひとことで表すならば「荒廃」となってしまう。都市では自動車が増加し、市内の交通渋滞はひどいものである。ウランバートル市内の大気汚染も悪化の一途をたどっている。都市周辺における水質汚染、水資源の枯渇も深刻な問題となっている。これらの環境悪化は、1990年代以降の民主化に伴う急速な開発と都市部への人口集中に伴う現象としてとらえられることが多い。

都市部のみならず、郊外においても自然環境の悪化は急速に進んでいることが実感される。もちろん様々な自然環境破壊が同時に発生しているのであるが、これらもひとことであらわすならば「砂漠化」としてくることができる。これには砂漠域の拡大のほか、植生破壊、土壌流出、湖沼の水位低下、地下水位低下、砂嵐の増加など、砂漠およびその周辺域におけるさまざまな環境変動が含まれている。さらに、モンゴルでは現在、鉱山資源の開発が急速に進められており、その開発にともなう自然破壊も大きな社会問題となっている。

モンゴルにおける現地調査と並行して、中国・新疆ウイグル自治区における調査は2008年から始めた。

写真1　中国新疆ウイグル自治区における風力発電所
2008年9月撮影

これまでに四回渡航し、タクラマカン砂漠周縁部をほぼ一周し、天山山脈、そして最北部のモンゴル・ロシアとの国境に近いアルタイ山脈に行くことができた。新疆ウイグル自治区における環境対策はこれもひとことで表すならば「組織力」となる。政府の強い指導のもと、各所で環境問題への対策が大きなスケールで実施されている。例えば、ウルムチからトルファンに向かう国道沿いには無数の風力発電機が林立している。それらはきちんと維持管理されており、そして新しい機器が建設中であった（写真1）。また、タクラマカン砂漠周縁部における植林事業は我々の想像を超える規模であり、さらに水利灌漑設備の整備による水資源の有効な活用も徹底されている。この点は、無秩序な開発とそれに伴う自然破壊が進行しているモンゴルとは対照的であった。

しかし、タクラマカン砂漠の北縁を区切る、天山山脈の急激な氷河減少を目のあたりにした時にその印象は変わった。訪問した天山山脈一番氷河では、最近50年の氷河の後退が激しく、このままのペースで減少が続けば近い将来（20年以内）氷河が完全に消失することも懸念されている（写真2）。タクラマカン砂漠において氷河の融水は重要な

写真2　天山山脈一号氷河　2008年9月撮影

水涵養源であり、現在は氷河の急激な減少に伴う融氷水増加で地域の環境システムが支えられている。したがって、近い将来に予測されている氷河の消失に伴う融氷水の途絶は、その地域の環境システムの急激な崩壊を示唆している。

これらの地域での現地調査を始めるにあったて、私は砂漠化の進行と自然環境の変動について、「歴史的な視点」から解明することが重要であると考えた。従来、モンゴルや新疆ウイグル自治区のような乾燥域・半乾燥域における砂漠化については、自然環境の変動を重視する考え方と、人間の手による自然改変を重視する考え方があった。前者には、降水量や日射量などの気象条件の変動、それに付随する形で生じる植生変化、降雨頻度や降雨強度の変化による地表の浸食作用の変化、地上風系の変化などが含まれる。後者には、森林伐採、過放牧、地下水の過剰揚水などが含まれている。

もちろん、実際の砂漠化には両者が複合していることは明白である。大気中の二酸化炭素の増加に伴う地球規模の温暖化は、東アジアにおいても大きな気候変動をもたらしているし、過度の開発と自然改変の影響も無視することはできない。それでは、両者の割合はどうなのであろうか。この割合が推定できないと、砂漠化の将来予測や、砂漠化防止のための実効的な対策の立案は不可能である。

これを解き明かすため、私は歴史的な視点から環境をとらえる環境史に注目した。例えば、現在よりも６０００年前から７０００年前は、ヒプシサーマル期と呼ばれ、現在よりも平均気温が2～4度高かったと言われている。これを言いかえると、今我々が直面している地球温暖による自然環境の変貌は、ヒプシサーマル期の環境史から推定が可能となる。天山山脈の氷河は、数万年をかけて形成されたものであり、その間何度も消長を繰り返してきた。そこで、過去から現在に至る氷河の変動と気温・降水量の変動を比較することによって、将来の氷河変動を予測することができる。

さらに環境と人間の関係を探るためにも歴史的な視点は重要となる。世界史において何回かの民族移動が知られているが、この時期における環境史を詳細に検討することによって、環境変動に対する人間の対応を解明する重要な手掛かりをうることができる。

例えば、タクラマカン砂漠東縁に位置するロプノールは顕著な湖域の変動が繰り返したことが知られている。スヴェン・ヘディンの著書「さまよえる湖」で有名なこの湖は、現在は核実験場となっているため、詳細な現地調査研究はできない。しかし、楼蘭をはじめと点在する古代都市の盛衰は、過去数千年にわたって湖域の変動が続いていたことを示している。このことは、大規模な農業開発など人為による自然改変のほか、より長期にわたる自然環境変動も誘因となっていることを示している。もちろん現実にはより多くの要因が複雑に関わっていることは確実であり、今後の解明が必要となっている（日高・中尾編２００６）。

写真３　フブスグル湖風景　2008年８月撮影

モンゴル北部フブスグル湖における湖面変動

フズスグル湖は、モンゴル北西部に位置する。面積は２７６０平方キロ、平均水深は１３８メートルであり、モンゴルではオウズ湖に次ぐ二番目に大きな湖である。塩湖であるオウズ湖に対して、フブスグル湖は淡水湖であり、モンゴルにおける重要な淡水涵養源となっている。モンゴルにおける淡水の70パーセントがこの湖に貯留されているとも言われている。貧栄養湖であり、飲料水としても利用可能な貴重な水資源である。近年は、急激に観光開発が進み、それに伴う水質汚染も懸念されている（写真３）。

フブスグル湖の現在の湖水位は１６４５メートルであるが、過去大きな水位変動が生じていたことが、最近の湖沼堆積物の掘削調査から明らかとなってきた。地球における最後の氷河時代寒冷期は最終氷期最大期（Last Glacial Maximum）と呼ばれ、およそ2万年前頃であったと言われている。この最終氷期最大期以降、フブスグル湖では湖水位が大きく変動したことが推定されている。最終氷期最大期においては現在よりも水

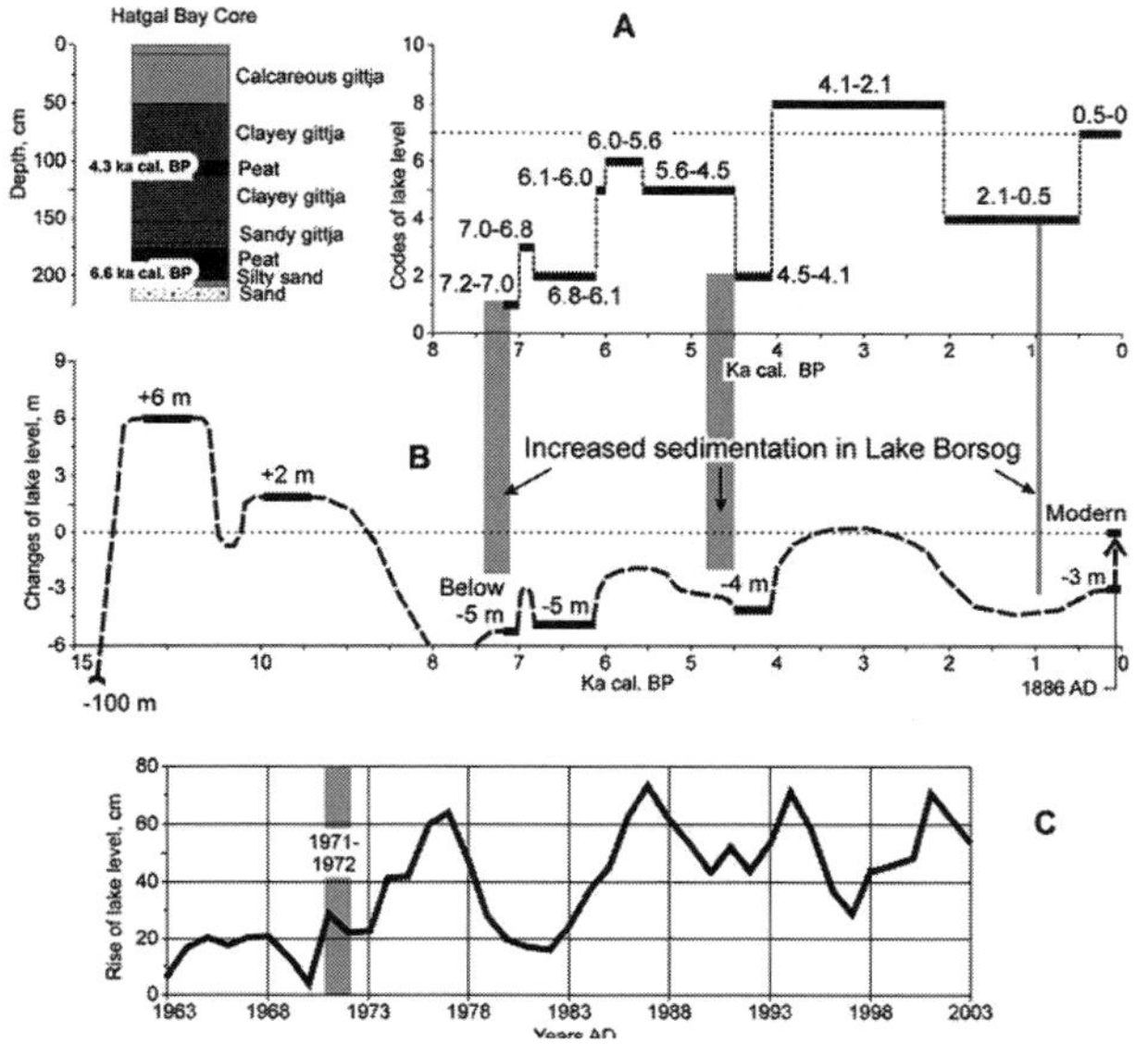

図１　フズスグル湖の水位変動
Orkhonselenge et al. 2013を改変

位が１００メートル以上低下していたが、その後の温暖化に伴って、湖水位は急速に上昇し、ヒプシサーマル期までに現在の湖水レベルに到達した。しかしその後の変動については、湖が貧栄養湖であり、しかも大きな流入河川に乏しいことから、湖の堆積速度が小さく、これまでは詳細な検討が難しかった。しかし、２０１３年に公表された、九州大学を含む日本・ロシア・モンゴル共同調査による湖岸域ボーリングにおける調査結果から、ヒプシサーマル期以降の水位変動を詳細に検討することが可能となった。その結果、４５００年前頃に湖水は４ｍほど低下していた。その後湖水位は上昇傾向に転じたが、１０００年から１５００年前頃に再び水位が２メートル低下した。それ以降、現在に至るまでフブスグル湖は、湖水の上昇が現在まで続いている（図１）。

　モンゴル内においても、湖水位変動は一様ではない。フブスグル湖のほか、モンゴル科学院地質研究所が行っているモンゴル西部のAchit湖においても最近2500年間の淡水化と水位上昇が記録されている（コラム参照）。このような水位上昇は、降水量増加のほか流域に分布する永久凍土が融解し、その融氷水が湖内に流入しているためと考えられている。このことは、九州大学がモンゴル科学院地理学研究所と共同で調査研究を進めているモンゴル北部のフデル泥炭地における研究結果（Fukumoto *et al.* 2012）との比較から確認された。フデル泥炭地では現在流域に永久凍土は分布しておらず、急激な乾燥化が続いている。しかし、200年前頃の小氷期と呼ばれる寒冷期までは永久凍土の分布が推定されており、その前後では湿潤傾向にあったことが分かっている。フブスグル湖の凍土融解による増水は限界があり、このまま温暖化が進めば、近い将来に湖水位低下と湖域の縮小が始まると予想される。

ゴビ砂漠に昔の水の痕跡を求める

ウランバートルからゴビ砂漠へ向かう時、一番驚いたのは大規模な道路工事が続いていることであった。舗装されている区間が地図上の表記よりも大幅に延長されていた。もちろん、これは幹線においてのみであり、それから外れると原野に残された車のわだちを頼りに、原野を進んでいくことになる。近年はGPSを見ながら目的地を確認しながら移動することができるが、それ以前はどうしていたのであろうか。遠くに見える山の形を目印に原野を飛ばしていく運転手がとても頼もしく見えてくる。

2013年9月に実施したゴビ砂漠での現地調査は、過去ゴビ砂漠に分布していた河川や湖沼の痕跡を地図

写真４　ゴビ砂漠における古第三紀における河川堆積物とワディ（枯れ谷）2013年9月撮影

化することが目的であった。砂漠の真ん中で水の跡を探し求めるというのはいかにも奇妙であるが、黄砂の起源を探るためにはとても重要な情報となる。砂漠といえども繰り返し大規模な砂嵐が起きるためには、潤沢な細粒物質の供給が不可欠となる。ここで重要となるのは過去砂漠が湿潤であった時に形成された河川や湖沼がもたらした砂や泥である（篠田編２００９）。

砂漠が過去湿潤な環境だったということは、必ずしもゴビ砂漠に限らず、中央アジアや中東、北アフリカなどの砂漠などにもみられる。ゴビ砂漠の場合は、約５０００万年前から始まったヒマラヤ・チベット山界の隆起が始まるまでは、モンスーンが流れ込む湿潤な環境であったと考えられている。２０１３年の調査でも、中生代白亜紀や新生代古第三紀の河川由来の砂や泥の厚い堆積物を見つけることができた。これらの砂礫・泥層はその後の峡谷（ガリ）によって削られ移動し、平原に堆積し、黄砂の起源となっている（写真４）。

砂漠を車で移動するとき、頻繁に水の無い浅谷を横断する。これらの谷はワディと呼ばれ、何年かおきに生じる豪雨時にのみ水

写真５　ゴビ砂漠における礫砂漠の地質断面
2013年9月撮影

が流れる。洪水時にはSlackwater Depositと呼ばれる、特有の堆積物が見られる。韓国・慶熙大学校の田中幸哉教授の研究グループは、このSlackwater Depositを指標として、モンゴル各地で洪水史を解明している（コラム参照)。

ワディを下っていくと、プラヤと呼ばれる豪雨時のみに一時的に形成される湖沼域に到達する。ゴビ砂漠は一般に礫質であるが、このプラヤの部分では泥質な堆積物から覆われている。我々も前年（２０１２年）に形成されたプラヤを観察したが、表面はすでに乾燥し、無数のクラックが形成され、わずかな砂嵐でも簡単に移動できるようになっていた。

ゴビ砂漠では、表面を礫で覆われた砂漠斜面が特徴的である。礫砂漠とも呼ばれ、ゴビの語源ともなっている。そこで、この礫に覆われた斜面をスコップで掘ってみると、以外にも礫におおわれているのは表面だけであって、その下部には細粒の砂泥が堆積していることに気づく。

写真６　ウラーン湖における湖水位の回復
2013年9月撮影

砂漠では豪雨時に斜面を面状に流れる面状流（シートフラッド）が発生し、その時に礫が斜面を沿って移動する。これは言い換えると砂漠の砂泥が礫で表面を覆われ、固定されていることになる（写真5）。現在、ゴビ砂漠では大規模な道路工事と開発が進められているが、車両が通るだけで礫斜面の表面は壊され、これが黄砂の供給源となる。乾燥域の砂漠化・黄砂量の変動を論じる場合、植生被覆の変化に注目することが多いが、このように礫砂漠やプラヤの地表面の破壊も深刻な環境破壊と黄砂増加をもたらしている。

モンゴル・ゴビ砂漠周辺域では、砂漠化に伴い湖水位の低下と湖域の縮小が進んでいる。ただ、２０１２年、２０１３年に多雨が続いたため、湖水位が回復しているという情報を得た。そこで、ゴビ砂漠のほぼ中央に位置するウラーン湖で調査を行った（２０１３年9月実施）。広大な旧湖底をランドクルーザーで移動すると、水域に達することができた。この水域の形成が最近（せいぜい１か月）であることは水域内の植生で推定することができる（写真６）。しかし、湖内には珪藻類をはじめとする藻類が繁茂

写真７　ウラーン湖において採取されたカブトエビ
2013年9月撮影

しており、それらを餌としてカブトエビなどの水生動物が確認された（写真７）。

事前の聞き取り調査では、ウラーン湖では10年以上前から湖面は完全に干上がっていたということであった。これらの生物たちは、ずっと湖底の泥の中で湖水の復活するのを待機していたことになる。湖水位の低下にともない、泥質堆積物で覆われている湖底面が広大に露出はすることは、黄砂（砂塵）のもととなる細粒物質が大量の供給と直結している。逆に湖水位が上昇すると細粒物質の発生を抑えることができる。現在、鳥取大学乾燥地研究センターでは黄砂（砂塵）の継続的な観測を進めており、その結果との対比が期待される。

さまよえる湖　アラル海、ロプノール

アラル海における環境変動に関する、九州大学とロシア科学アカデミー・シベリア分室との共同研究プロジェクトがスタートした。２０１４年度からの本格的な調査開始をめざした準備研究で

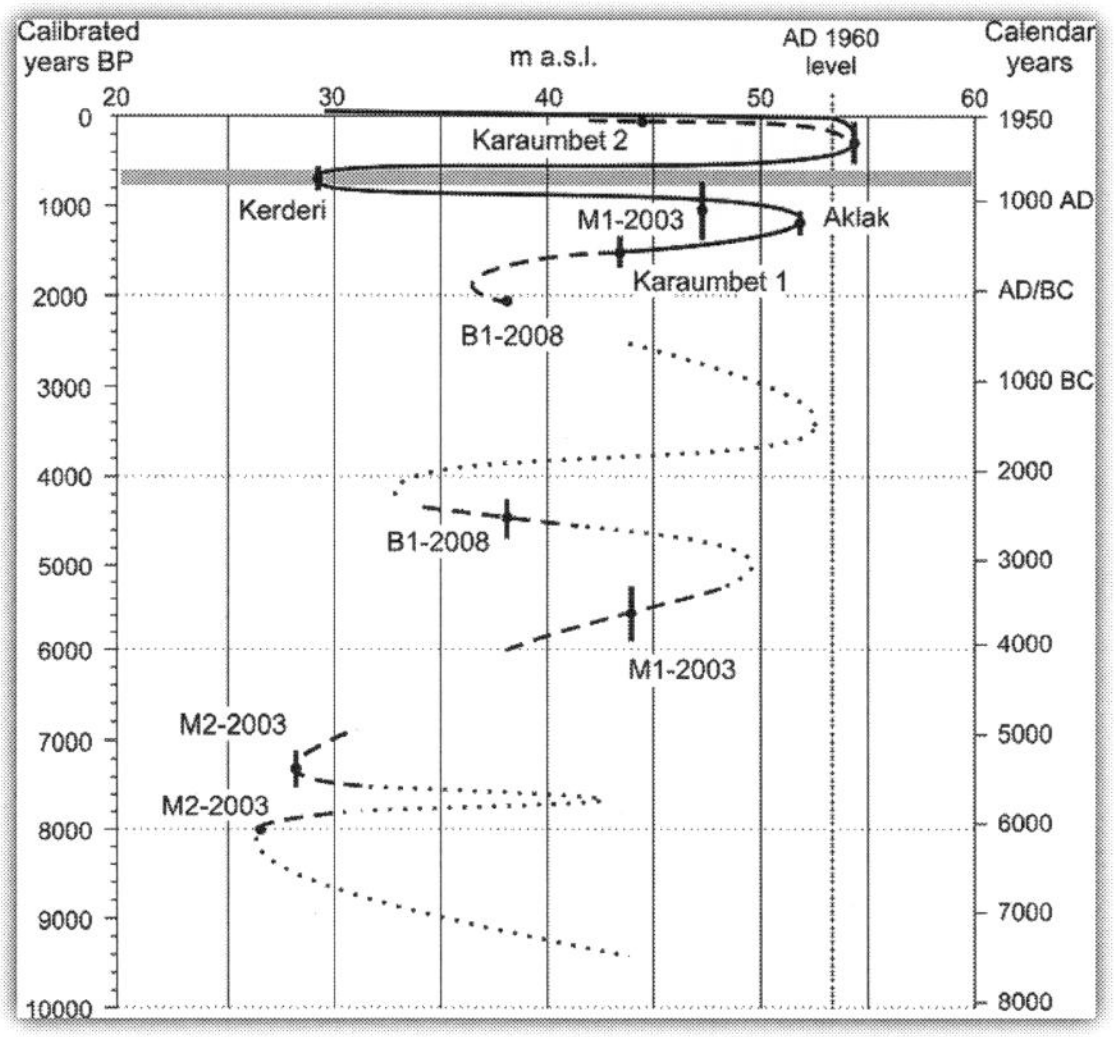

図２　アラル海における湖水位変動
Krikonov *et al.* 2010を改変

あるが、すでにいくつかの興味深い知見が得られている。

　アラル海は１９５０年代以降の急速な湖水位低下と湖域の縮小が有名である。湖水位低下は湖水の塩分上昇をもたらし、湖の生態系は大きく破壊されてしまった。ここで興味深いことは、露出した湖底から多くの遺跡が見つかり、しかも遺物の炭素14年代測定の結果、その形成年代が５００年前から１０００年前ということが明らかとなった。もちろん、遺跡形成時には水位は低下しており、その後、急激な水位上昇が生じたものの、最近になって水位は元のレベルに戻ったことになる（図２、写真８）。

　最近のアラル海の水位変動については、自然条件に加えて、人為的な自然改変が関わっていると考えられているが、このような長期的な視点からの検討が必要となった。ロシア科学アカデミーによって掘削された予察的なボーリング試料を検討すると、過

写真８　アラル海湖底から現れた遺跡
Krikonov 氏提供

写真９　タクラマカン砂漠南部ケリヤ川における過去の河川堆積物
2008年9月撮影

去1万年間に6回の周期的な湖水位の変動が推定された。このような変動については今後さらに検討を加えなければいけないが、モンゴルのフブスグル湖における湖水変動と比較してみると、類似した湖水位変動が確認された。ただ大きく異なる点は、最近60年間の変動である。

タクラマカン砂漠においても冒頭に述べたロプノールのように最近60年で急速な湖沼域の縮小が見られている。タクラマカン砂漠では、湖沼のほかに、過去の湿潤期の存在を示す地形が多く残されている。タクラマカン砂漠南縁を流れるケリヤ川は、現在は砂漠域に流入するとほどなく消失するが、その流路跡を砂漠奥部まで追跡することができる。そして旧流路にそって多くの遺跡が分布している。九州大学理学研究院と交流協定を締結している新疆大学資源環境学系ではタクラマカン砂漠における環境調査を継続的に行っている。彼らは継続的な現地における計測と衛星画像解析を用いて、砂漠化の進行に伴う環境変動について様々な時間スケールから考察を加えている（コラム、口絵写真参照）。最近60年の変動には大規模開発に伴う人為的改変と、地球温暖化に伴う気候変動の両者が関係していることは確実であるが、両者の寄与率の変動については今後検討を加えて行かなければいけない。

◎参考文献

篠田雅人編　２００９『乾燥地の自然』乾燥地科学シリーズ2、古今書院
日高敏隆・中尾正義編　２００６『シルクロードの水と緑は』地球研叢書、昭和堂
Fukumoto, Y. et al. 2012 Quaternary International, 254, 83-91
Krivonogov S.K., et al. 2010 *Nuclear Instruments and Methods in Physics Research* Section B: 268, 1080-1083
Orkhonselenge,A. et al. 2013 *Quaternary International*, 290-291, 95-110

コラム

モンゴル・ヘルレン川の5世紀以降の洪水史
―Slackwater deposit 分析による古水文学的検討―

田中　幸哉・KIM, Song-Hyun

韓国・慶熙大学校は九州大学およびモンゴル科学院地理学研究所と共同で、モンゴル河川における洪水史の解明を進めている。我々が注目している slackwater deposit は主に細粒砂ないしシルトから構成される大規模洪水堆積物であり、過去の洪水史を明らかにすることができる。モンゴル高原の古気候学的な研究とくに歴史時代の古気候に関する研究は多くは行われていない。そこで本研究の目的は歴史時代の堆積物を古水文学的観点から分析することにより、乾湿変化を明らかにすることである。

一般的に気候の湿潤な時期には大洪水が頻発する。したがって大洪水の有無は気候の乾湿を表していると考えられる。本研究ではモンゴル東部のヘルレン川の slackwater deposit のコアサンプル（長さ210センチメートル）を採取し、洪水イベントの有無を明らかにするため堆積物の粒度分析を行った。また堆積物の年代を明らかにするために、堆積物中の有機物の炭素14年代測定、および放射性同位体セシウム137の有無の測定を行った。堆積物の粒度分布を見ると、深さ180㎝から90センチメートルまでと20センチメートルより上部は粗粒である。炭素14年代測定結果を見ると、深さ１７５センチメートルと１３５センチメートルの結果はそれぞれ1579±19yrBP, 1536±19yrBPである。また粗粒層の上部に位置する深さ80センチメートルの年代は1050±30yrBPである。これらの結果から５世紀から少なくとも11世紀ころまで大洪水が多数発生したことが推定される。

深さ40㎝の層準からはセシウム１３７が検出された。このことは深さ40センチメートル付近までの堆積物は１９５０年代以に起こった大洪水によるものであると推定される。モンゴル気象水文研究所によると１９８２年以降サンプリング地点付近で流量観測が行われているが、その結果によれば１９９０年に大洪水が発生している。最上部の粗粒層はこの洪水の堆積物と推定され、このことは地域住民への聞き取りでも裏付けられた。

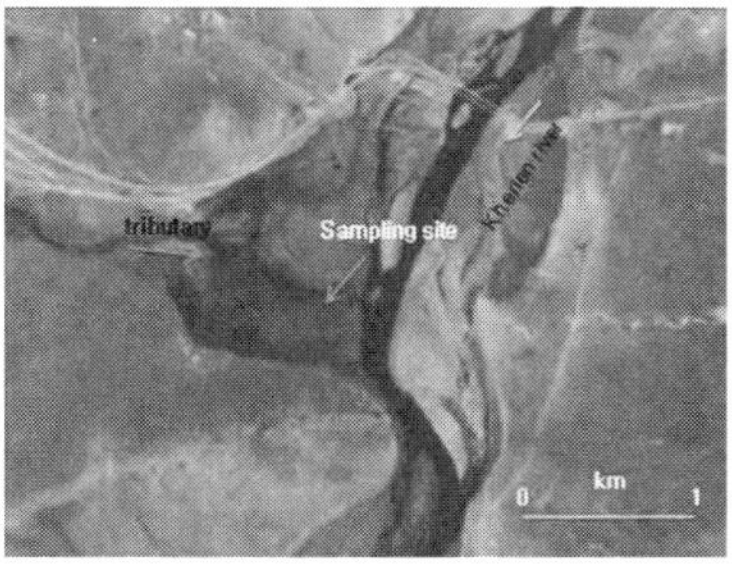

写真10　ヘルレン川調査地点

写真11　ヘルレン川調査地点風景

写真12　ヘルレン川の
Slackwater Deposit

湖底コア堆積物中の珪藻遺骸を指標とした アチト (Achit) 湖における完新世の古水準変動

Uugantsetseg B.・Narantsetseg Ts.

アチト (Achit) 湖は西部モンゴルで最大の淡水湖沼であり、その標高は１４３５ｍ、周囲を Kharkhiraa 山地と Turgen 山地に囲まれている。湖域の長径は24キロメートル、短径は18キロメートルに及ぶが、平均水深は２メートル、最大水深は５メートルにすぎない。２０１０年に湖の４地点で中国・モンゴル共同調査隊が湖底堆積物のコア試料の採取を行った。今回分析に用いたものは2013-3コアであり、そのコア長は２００センチメートル、放射性炭素年代からその基底部は約６０００年前に堆積したことが明らかとなっている。ここでは、コア試料から採取した珪藻化石の特徴を記載して、過去６０００年間の水位変動を復元した。

珪藻は単細胞の藻類の一つであり、湖沼における重要な環境指標生物の一つである。珪藻は一対のガラス質の殻で覆われているが、その殻が湖沼中に化石として堆積している。我々が所属するモンゴル科学院地質学研究所は、九州大学理学研究院と共同で、珪藻化石を指標とした湖沼の水位変動の復元について、調査研究を進めている。

コア試料の層相とそこから産出した珪藻化石群集の特徴は以下のようにまとめられる。

ユニット1（200～180センチメートル）有機質な泥からなる。この泥から約6000年前の放射性炭素14年代が得られた。

ユニット2（180～122センチメートル）細粒から中粒砂からなる。157～141センチメートルで植物葉化石が含まれていた。付着性種（*Fragilaria capucina; Cocconeis placentula, Pinnularia sp; Amphora veneta*）が多く産出し、水深の小さい、淡水から汽水の湖沼環境が復元された。

ユニット3（122～42センチメートル）植物片や貝化石を含む泥層から構成される。全珪藻数の84パーセントが付着性種（*Fragilaria capucina; Cocconeis placentula, Pinnularia sp; Amphora veneta*）が多く産出し、水深の小さい、淡水から汽水の湖沼環境が継続していた。

ユニット4（42～0センチメートル）泥質な堆積物が続くが、植物片はまれとなる。浮遊性珪藻種（*Cyclotella ocellata, Cyclotella stephanodiscus*）の割合が増加しており、湖水位の上昇が推定された。

このような湖水位の上昇は、同時に行われた同位体の分析結果などからも推定され、約2500年前頃から始まったと推定された。モンゴルにおける気候変動、特に降水量増加と相関が強い。

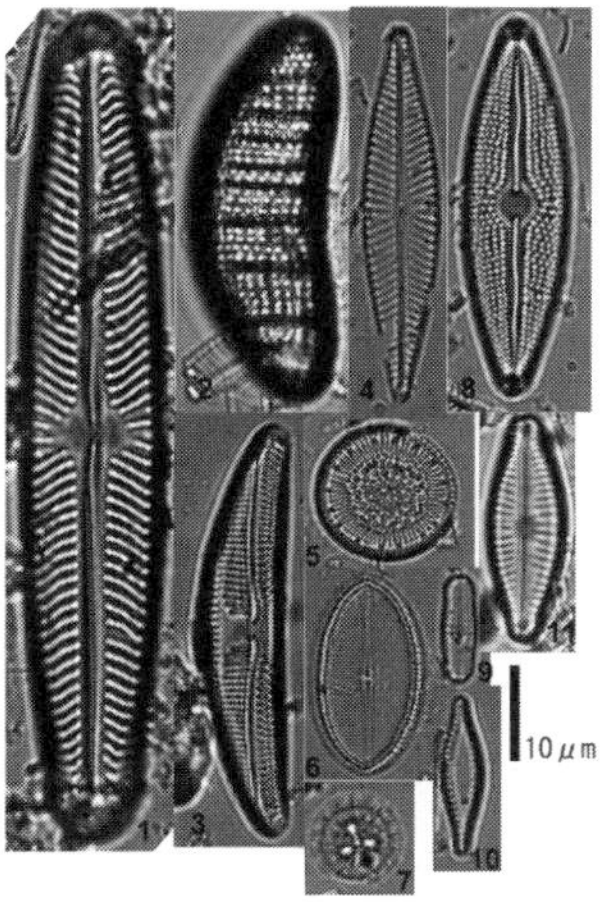

写真13　Achit 湖湖底コアから観察された珪藻化石

タクラマカン砂漠北縁部渭干（Weigan）・庫車（Kuqa）オアシスにおける環境評価

Maimaiti Shawuti・Zhong Fei・Tashpolat Tiyip

渭干（Weigan）川・庫車（Kuqa）川河口オアシスはタリム盆地の北部に位置し、両河川がタクラマカン砂漠に流入する河口域に位置する。オアシスは典型的な温帯砂漠の気候下にあり、年降水量が20～50ミリメートルであるのに対して、蒸発量は1800～2900ミリメートルに達する。平均気温は10・5～14・4℃であるが、最高気温は40℃を超え、最低気温はマイナス30℃以下となる。オアシス内には約80万人が居住している。この地域において、新疆大学の資源環境学系・オアシス生態重点研究拠点はこの地域において重点的な観測を継続している。毎年の現地観測に加えて、リモートセンシングと地理情報システムを駆使した、環境情報の地図化とデータベース化を進めている。

地表温度は、Landsat TM と Landsat ETM+ 画像データを用いて、1891年と2011年の比較を行った（口絵1）。この期間内の温度上昇は顕著であり、最低温度では5℃、最高温度では約10℃の温度上昇が画像解析から復元された。また、オアシス内では、植生と土地被覆の影響で、周囲に比べて相対的に低温となるコールドアイランド（cold island）がより明瞭となっている。土地利用および土地被覆についてもこれらの画像データからの判読を行った。1989年以降、政府による積極的な植林などの自然回復活動により、土地被覆と植生の急速な回復が確認された（口絵2）。

一方、オアシスおよびその周辺域の土壌塩性化については、Landsat ETM+による解析のみでは不十分であり、より地表深部での環境情報を取得できるRadarsat SARのデータを加え、多変量解析を用いた総合的な画像解析を行った。この結果、オアシスと砂漠域の生態的な接続域（Ecotone）で形成される土壌塩性化について面的な分布を明らかとすることができた（口絵3）。この画像判読の精度については、1989年以降継続的に進めているオアシスおよび周辺域における、新疆大学による土壌サンプルの採取と、実験室における土壌含有塩分の計測結果を用いて補正を加えている。この結果、極めて信頼性の高い土壌塩性化に関する環境評価が可能となった。

写真14　タクラマカン砂漠北縁部渭干（Weigan）・庫車（Kuqa）オアシスにおける土壌塩性化

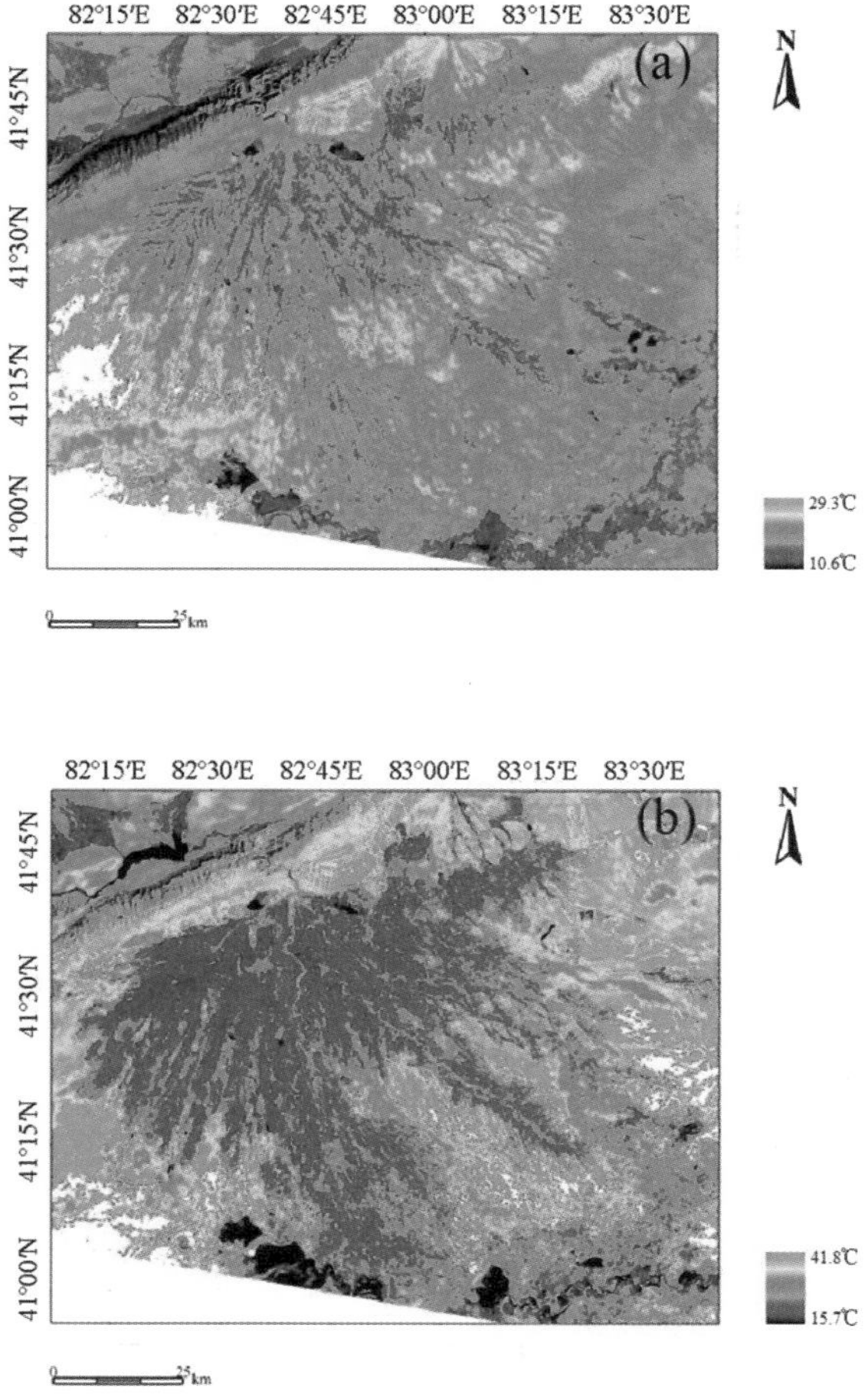

口絵１　タクラマカン砂漠　渭干（Weigan）川・庫車（Kuqa）川河口オアシスにおける地表面温度分布図（a: 1989 b: 2011）

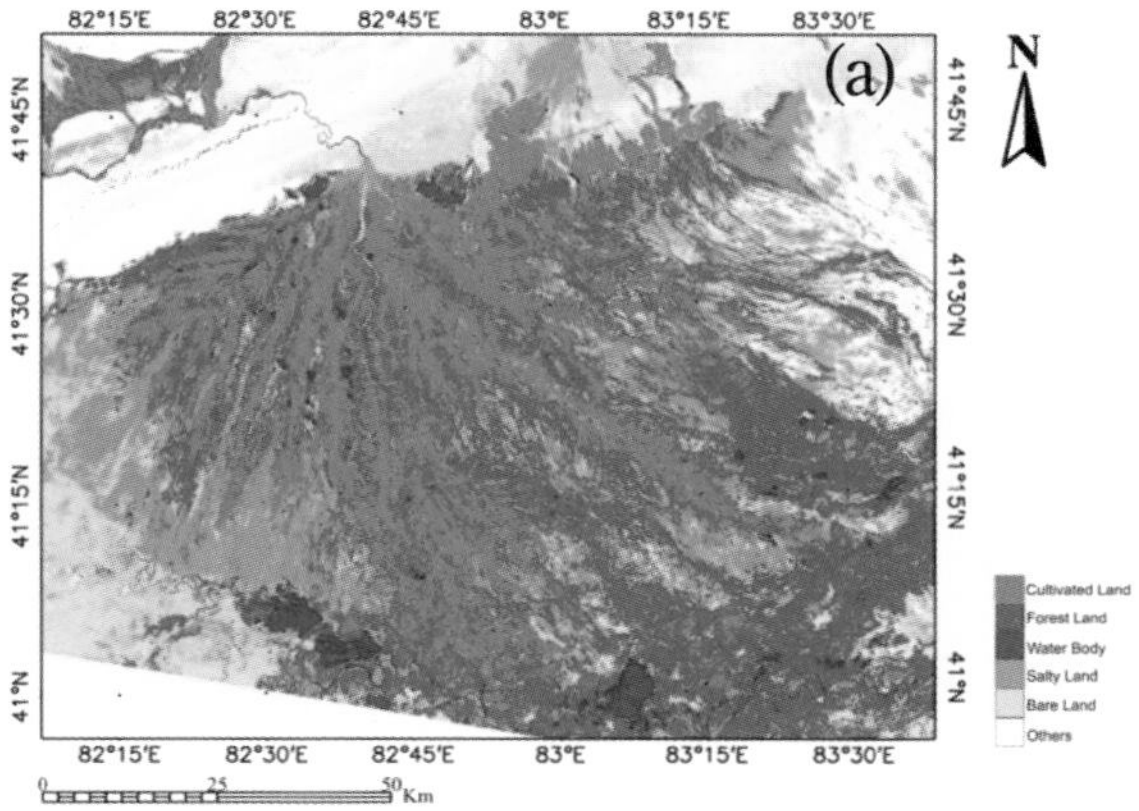

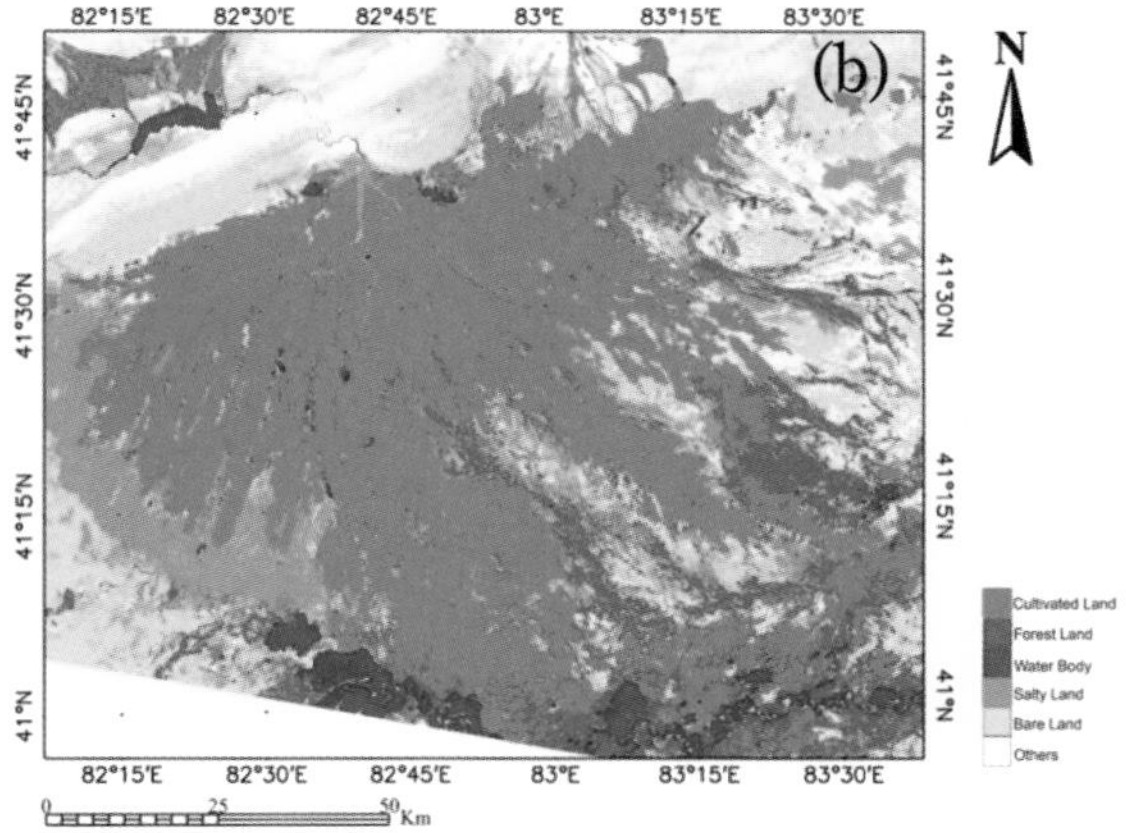

口絵２　同地域における土地利用地表被覆分布図（a: 1989 b: 2011）

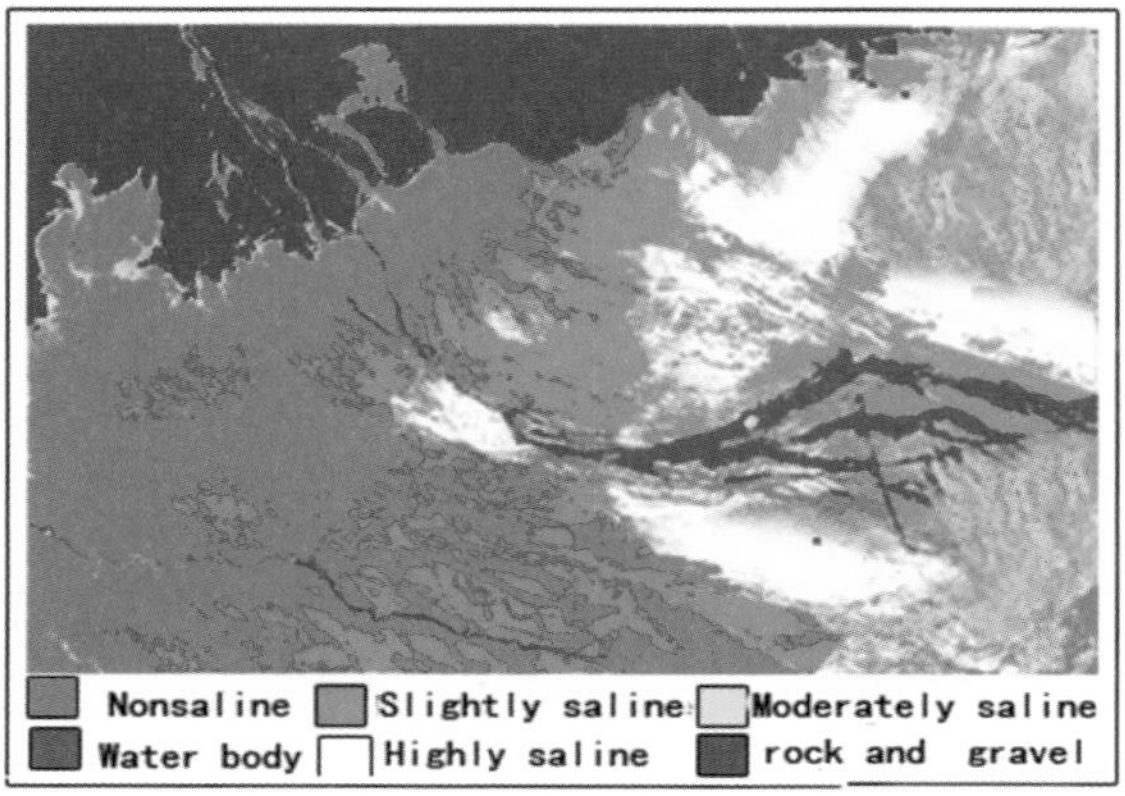

口絵３　同オアシス周辺地域における土壌塩性化

第3章

モンゴル乾燥地の地盤環境と付加価値の高い砂漠化防止に向けた取り組み

安福　規之
古川　全太郎

写真１　カンゾウ根（Bayanhongor, Mongolia）

はじめに

砂漠化は地球環境保全上無視できない問題の一つである。砂漠化とは、「乾燥、半乾燥、乾性半湿潤地域において気候変動、人間活動等様々な要因に対して起こる土地の劣化（国連砂漠化防止会議、1992年アジェンダ21）」と定義される。砂漠化は毎年6万㎢の速さで進行し、人口では全世界の6分の1に及ぶ人々が作物の不作による飢餓や水不足等の被害を受けている（吉川ら編 2004）。また、地球上の陸地の45％以上は乾燥気候であり、20億人もの人々が乾燥地で生活している（UNEP 1992）。このような土地を増やさぬための対策を施すことは急務である。

筆者らは対象地盤に植生を施すことにより砂漠化・土地劣化を抑止する技術を見出すための「砂漠化防止プロジェクト」に取り組んでいる（安福編 2010、安福ら編 2012、劉ら編 2012）。対象とする植物は、薬用植物「カンゾウ（*Glycyrrhiza uralensis*, 写真1）」である。カンゾウは主にモンゴル、中国等の

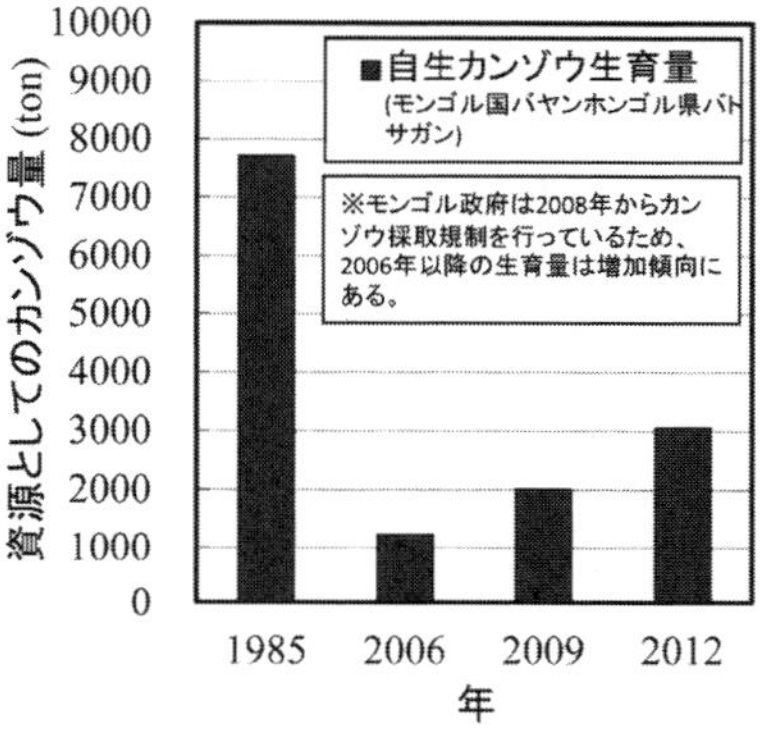

図１　モンゴル南部における自生カンゾウの生育量の変遷
（モンゴル科学アカデミー植物研究所データ）

乾燥地に自生するマメ科の多年草であり、その根に含まれる薬用成分グリチルリチン（glycyrrhizin, 以下ＧＣ）を生薬として使用する。薬用として高需要のカンゾウは、日本国内の漢方薬の約70％に含まれるほか、化粧品や調味料、甘味料等にも幅広く使用されている。しかしカンゾウは日本国内には自生しておらず、実験的に栽培研究がなされているのみであり、商品として流通しているものは１００％輸入品である（菱田編　２０１２）。その結果、自生カンゾウは乱獲され、砂漠化を助長する一因となっている。図１は、モンゴル国バヤンホンゴル（Bayanhongor）県におけるカンゾウの資源としての生育量を示している。１９８５年には約８０００ｔであった生育量が、２０１２年には３０００ｔ程度にまで減少している。従って、貴重な生物資源を保護するという観点からもカンゾウの保護は重要な課題であるといえる。現在、様々な製薬会社、建設会社、自治体、研究所等が日本国内で高品質なカンゾウを栽培する技術の開発を急いでいる（林、柴田編　２０１１）。筆者らは「カンゾウを用いた現地に根付く付加価値の高い砂漠化防止技術」の確立を目指した学術的かつ実用的取り組みを行っているところである。この取り組みの目標は、まず砂漠化の進行を抑止することによってカンゾウが減退している土地の劣化を防ぐことにある。それに加えて、ただ植生を施すだけでなく薬用として価値の高いカンゾウを用いることによって、現地の人々が自主的に、かつ持続的にカンゾウの生育を行えるような技術の開発や、それを達成できる環境を整えることを目指している。

自生カンゾウの植生状況、あるいは生育そのものは当該地域の気象環境や地盤環境に依存していると考えられる。しかし、カンゾウ自生地や非自生地において本格的な地盤環境調査が過去行われた例はなく、現地の地盤データそのものが把握できていない状況である。

また筆者らはこれまでに、カンゾウ生育にとって適切な地盤環境の定量化を図るための様々な実験に取り組んできた(古川ら編　２０１１)。乾燥地の土地劣化問題を解決するためには、第一に当該地域の気象環境を含めた地盤環境を総合的に把握することが重要である。本章ではモンゴル南部乾燥地・半乾燥地において地盤環境の調査を行い、その結果から自生地と非自生地の地盤環境の特徴や差異を見出すと共に、砂漠化防止対策を具体化するために得られた基礎的な知見を紹介する。

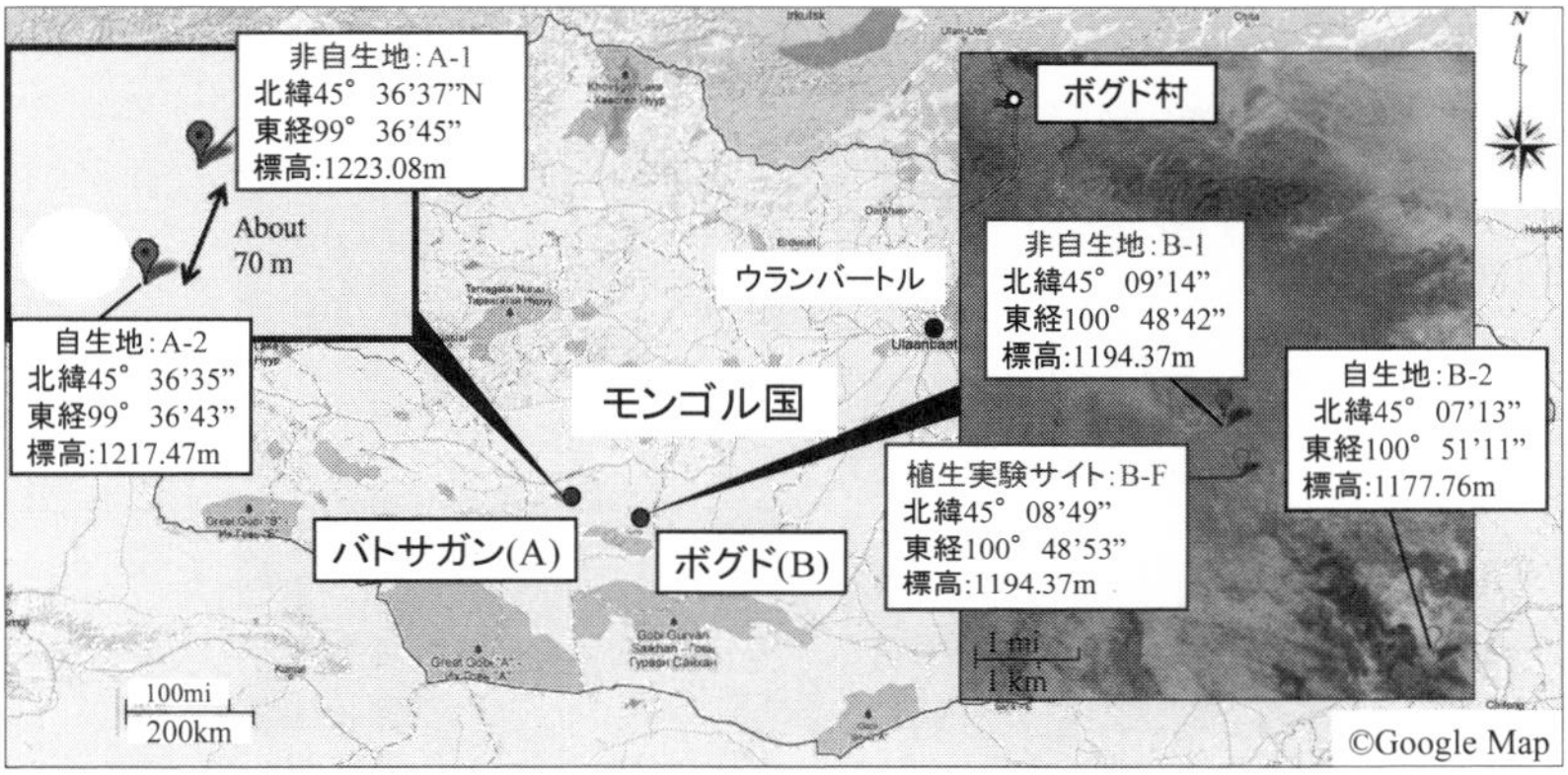

図２　モンゴル国地図と調査位置

ボグド村での調査の概要

調査地・モンゴル南部の地理的特性

本章で扱う「地盤環境」とは、地盤の物理的環境と化学的環境を意味する。物理的環境とは、地下水位や降雨、降雪、植物根の吸水、地表面の蒸発等で決定される地盤内の水分状態、含水比分布、さらには粒度分布や乾燥密度、またはそれらに由来する透水性や保水性、水分特性を指す。化学的環境とは、地下水の塩類濃度と地表面からの蒸発に由来する地盤内の塩類濃度やイオン濃度、有機分濃度、土の保肥性、及びそれらの分布等である。

また、２０１０年からモンゴル乾燥地におけるカンゾウ自生地での地盤環境調査の中で、（小林ら編　２０１１）、主に２０１１年と２０１２年の調査によって得られたデータを紹介する。

モンゴル国全域の地図と調査位置を図２に示す。主な調査地は、首都ウランバートル（Ulaanbaatar）から南西に６５０km程度離れ

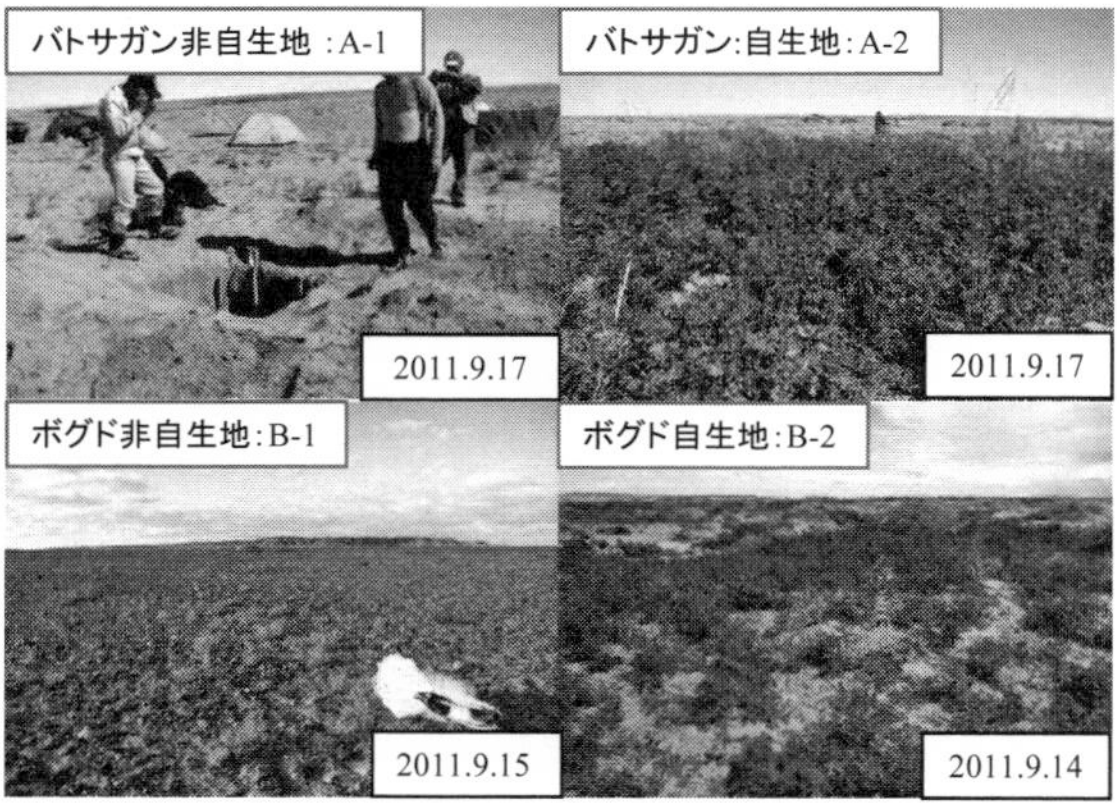

写真２　調査地の様子（筆者撮影）

たバヤンホンゴル（Bayanhongor）県バトサガン（Baatsagaan）村周辺地域（A）と、そこから東に150㎞程度向かったバヤンホンゴル（Bayanhongor）県ボグド（Bogd）村周辺地域（B）である。これまでの調査より、モンゴル全土の範囲内では南部の自生カンゾウ量が最も多いことが明らかにされている。地点名の末尾に記す〝1〟は、カンゾウ非自生地、〝2〟は自生地を表している。いずれの地も北緯45度、高度は1200m程度である。写真2に各調査地の概観を示す。バトサガン（A）は25×5㎢の広さであり、非自生地のA-1と自生地のA-2は70m程度しか離れておらず、自生地と非自生地の境界のような地点である。ボグド（B）に関しては15×5㎢の領域の範囲である。地点Bの植生状況は極端であり、植生が全くない箇所もあれば、多種の植物が繁茂する植生に恵まれた地点もある。そのため、自生地のB-2と非自生地のB-1において様々なデータを得られることが期待された。B-1の地域では、約30年前にモンゴル科学アカデミー植物研究所（Institute of Botany, Mongolian Academy of Science）が中心となって人工的にカンゾウ栽培を行った経緯がある。その後、干

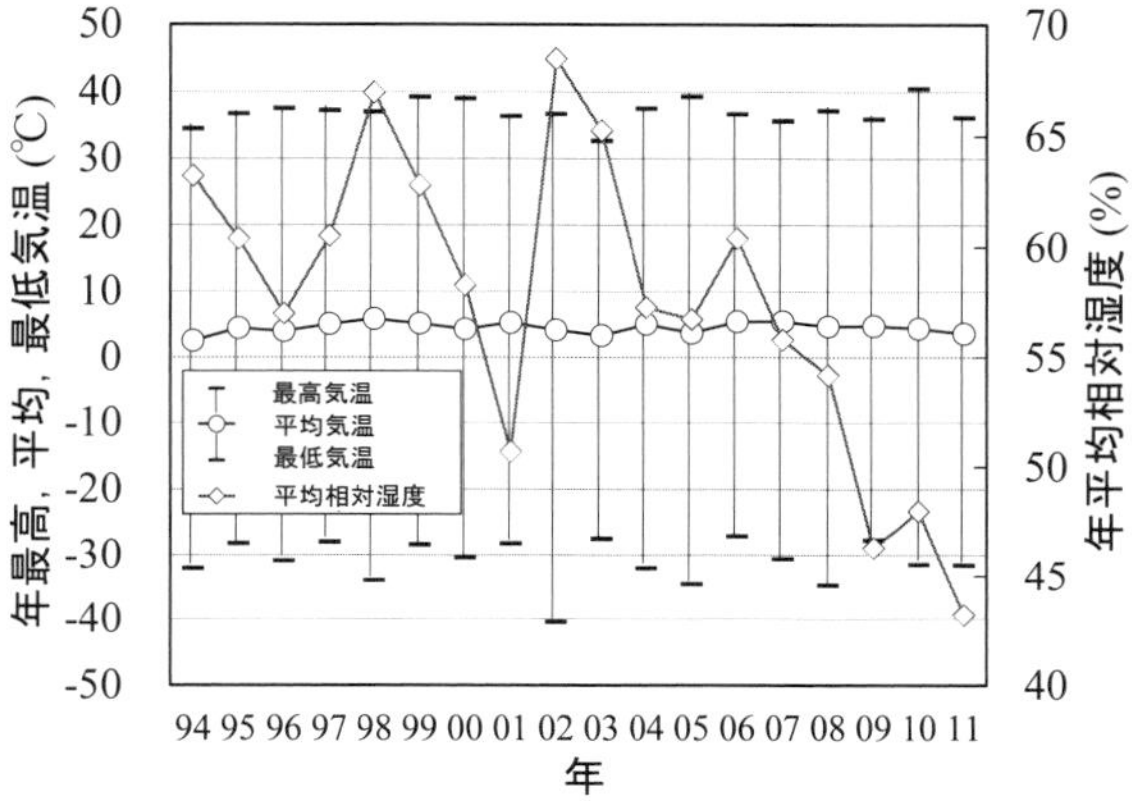

図３　ボグド村の気温と湿度（1994～2011年、モンゴル国気象庁データ）

ばつ等を伴った気候変動により土地が劣化し、現在ではカンゾウの栽培が困難な状況にある。このことから、地点B-1を調査することによって、土地劣化のメカニズムを解明できる可能性がある。地点B-2に関しては地下水位が比較的高く、アヤメ（*Iris sanguinea*）等の植物も繁茂する地域であり、植生にとって比較的生育しやすい環境であると推測できる。

モンゴル南部・カンゾウ自生地の気候特性

気候区分

カンゾウ自生地の経年的な気候変動を把握するため、地点B-2から10㎞程度離れた、バヤンホンゴル県ボグド村で観測された１９９４年から２０１１年までの気象データを示す。なお、このデータはモンゴル国気象庁から提供されたものである。

図３に１９９４年から２０１１年までの年最高、最低、平均気温と平均湿度を示す。気温に関しては18年間を通して大きな変化は見られず、最高気温は40・５℃、最低気温はマイナス40・５℃、平均気温は約４・５℃である。それに対して平均湿度は年によって

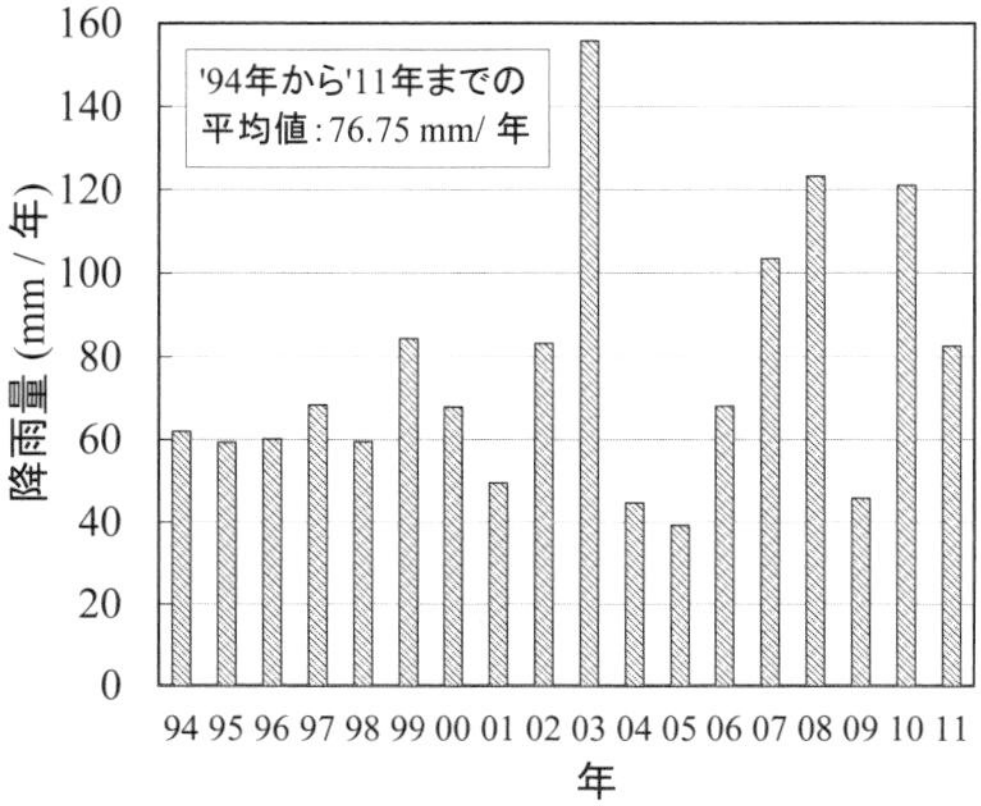

図４　ボグド村の年間降水量（1994～2011年、モンゴル国気象庁データ）

大きく変わっており、特に２００６年からは低下傾向にあることがわかる。

図４に、１９９４年から２０１１年までの年間降水量を示す。年間降水量は年によって様々であり、経年的に変化しているわけではない。測定期間の中では平均年間降水量は76・5㎜、最大年間降水量は１５５㎜程度である。

表１に年間平均降水量と平均気温で気候区分できる de Martonne が考案した乾燥指数I（内蒙古沙漠開発研究会編　１９８９）と、W. Köppen が考案した乾燥限界K（遠藤ら編　１９９８）を示す。de Martonne の乾燥指数Iに Bogd 村の年平均気温と年平均降水量を当てはめるとIは5程度となり、「沙漠」に区分される。なお、「沙漠」とは一般的に「降雨が少なく、荒廃した土地」のことを指しており、「砂漠」と同義であるが、その土地の土壌の種類によって「土沙漠」、「砂沙漠」、「礫沙漠」、「岩石沙漠」等に分類される（遠藤ら編　１９９８）。本章ではこのような土地を「砂漠」または「乾燥地」と記述するが、表中の用語は引用文献のとおりに記述する。また、W. Köppen の乾燥限界Kにおいて「主に夏に

表１　様々な気候区分

de Martonne (1926) の乾燥指数 (I)		
$I = \dfrac{P}{t+10}$	P : 年降水量 (mm/year) t : 年平均気温 (ºC)	
I の値が	5以下のとき	沙漠
	10以上のとき	乾燥農業が可能
	20まで	灌漑農業
	30以上のとき	森林形成

W. Köppen (1931) の乾燥限界 (K)	
一年中ほぼ均等に雨が降る地方	$K = 20 (t + 7)$
主に夏に雨が降る地方	$K = 20 (t + 14)$
主に冬に雨が降る地方	$K = 20t$
	t : 年平均気温 (ºC)
$K > P > K/2$	ステップ (Steppe)
$K/2 > P$	沙漠 (Desert)

Thornthwait (1948) の気候区分(I_m)

$PET = 16(10T_n / I)^a$　　PET : 月可能蒸発散量 (mm/month)

T_n : 月平均気温 (ºC)

$I = \sum_{i=1}^{12} (T_i / 5)^{1.514}$　　I : 熱指数

a : べき乗数

T_i: 月平均気温 (ºC)

$a = (492430 + 17920I - 77.1I^2 + 0.675I^3) \times 10^{-6}$

$I_m = (100s - 60d) / n$

s : 月ごとの水過剰量の 年間積算値(降水量>可能蒸発散量となった月の(降雨量ー可能蒸発散量))

d : 月ごとの水不足量の年間積算値(可能蒸発散量>降水量となった月の(可能蒸発散量ー降水量))

n : 可能蒸発散量の年積算値

$I_m > 100$	過湿潤	$-20 < I_m < 0$	乾燥半湿潤
$20 < I_m < 100$	湿潤	$-40 < I_m < -20$	半乾燥
$0 < I_m < 20$	湿性半湿潤	$-60 < I_m < -40$	乾燥

UNEPの気候区分 (1992)

区　　分	条　　件	全陸地面積に対する割合 (%)
極乾燥地域	$P/PET < 0.05$ 雨期はない	7.5
乾燥地域	$0.05 < P/PET < 0.2$ 年降水量 : 200 mm未満(冬雨季) 300 mm未満(夏雨季)	12.1
半乾燥地域	$0.20 < P/PET < 0.50$ 年降水量 : 500 mm未満(冬雨季) 800 mm未満(夏雨季)，または降雨の季節的偏りが著しい地域	17.1
乾燥半湿潤地域	$0.5 < P/PET < 0.65$	9.9

雨が降る地方」の式に平均気温を代入するとKは約３７０となり、降水量が年間76・５㎜以下の地域は「沙漠(Desert)」に区分される。

次に、月平均気温から可能蒸発散量PETを計算し、月ごとの降水量と比較して気候を区分をするThornthwaitの気候区分I_m（吉川ら編　２００４）を示す。また、PETと年降水量Pの比を用いる、国連環境計画（UNEP）が提案する気候区分も併せて示す。Thronthwaitの気候区分I_mによると、過去18年ではどの年もI_m＝-47～-48程度であり、「乾燥」に区分される。Thronthwaitの方法により求めた可能蒸発散量の平均値をUNEPの気候区分に用いると、過去18年間のうちどの月もP/PET＝0.19～0.21となり、多くの場合「乾燥地域」に区分される。このように、調査地域はいくつかの気候区分において「乾燥地域」または「沙漠」に区分されることがわかる。

自生地Ｂ－２の気象状態の季節変化

写真２のボグド自生地Ｂ－２では、長期的に気象・地盤環境の計測を行っている。図５と図６に、地点Ｂ－２の一年間の気温と湿度、図７に一年間の降雨量を示す。年平均気温は約４℃、一年での累積降雨量は約94㎜であり、２月下旬に降雨は少ないものの平均湿度が急激に上昇している。気象センサーは、降雨の測定はできるが降雪は測定できない仕様である。しかし、写真３のようにこの期間に降雪があったことが確認されており、年降水量は１００㎜を超えると予想できる。

図８に深さ約３ｍ程度までの土中温度の年変化を示す。この図には地表面から深さ40、60、１１０、２１０、３１０㎝の温度を記している。図８より、深さ40、60㎝程度の浅い箇所では気温変化の影響を大きく受

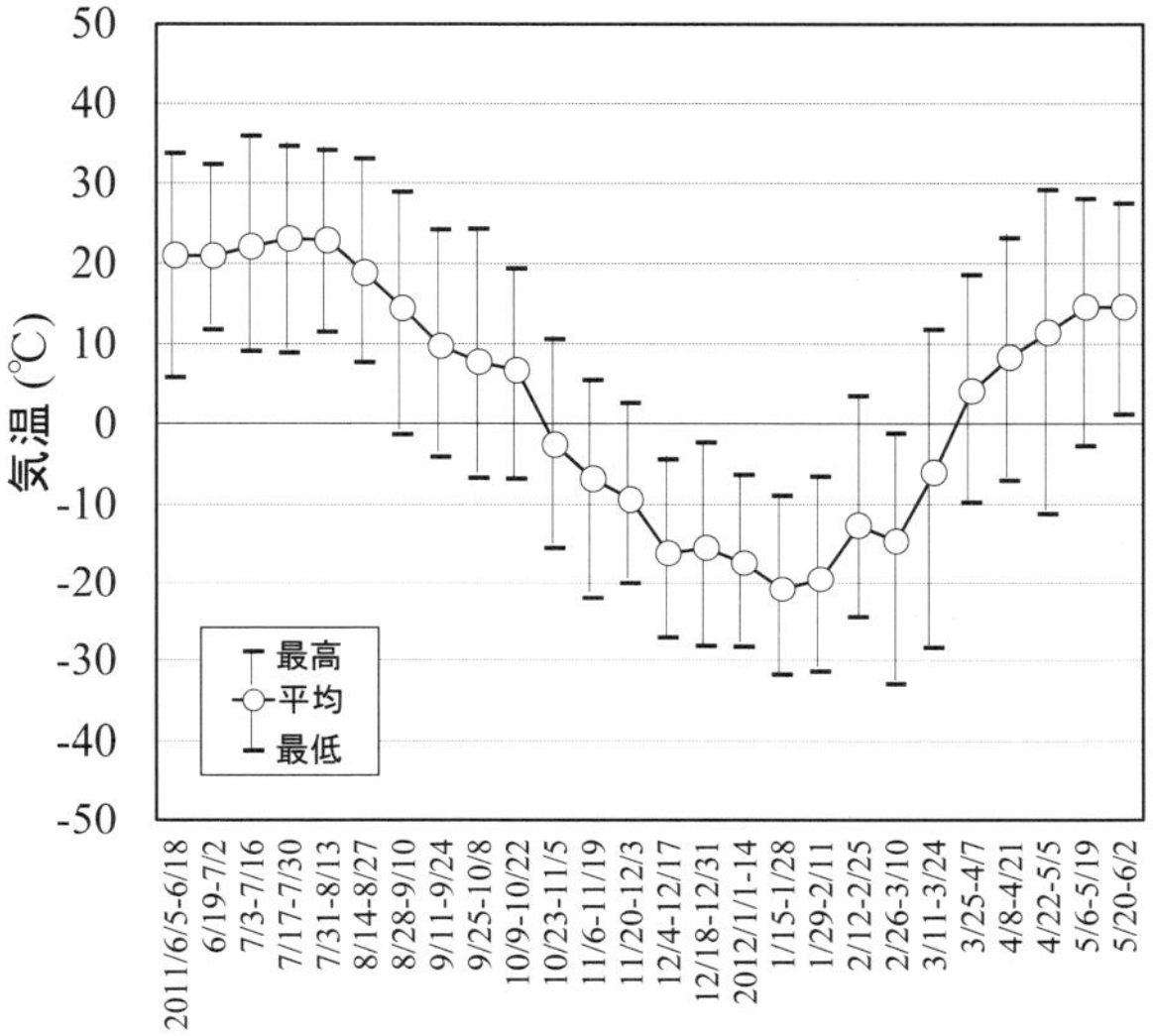

図５　自生地（ボグド）Ｂ－２の気温の年変化（2011年6月～2012年6月）

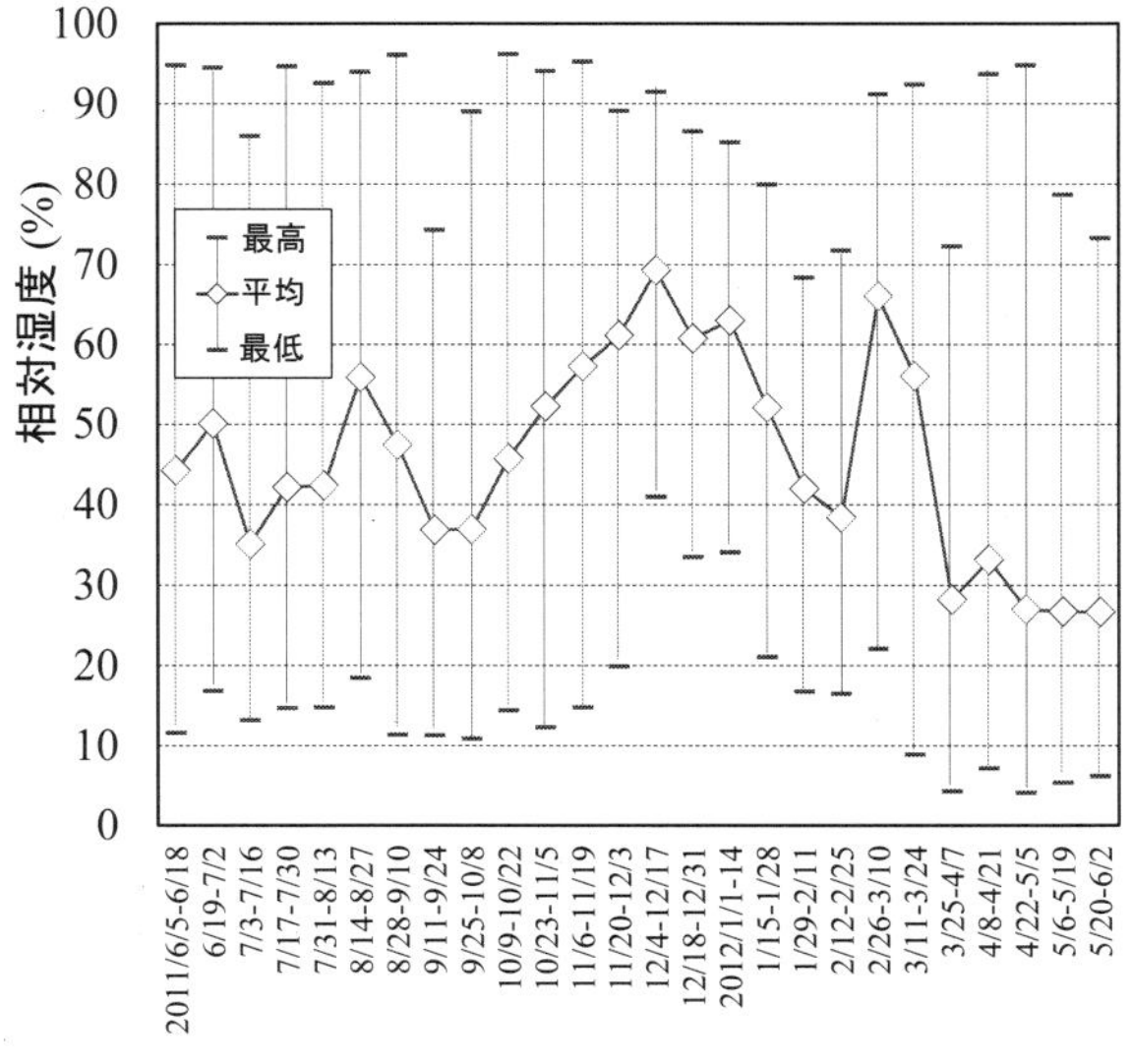

図６　自生地（ボグド）Ｂ－２の湿度の年変化（2011年6月～2012年6月）

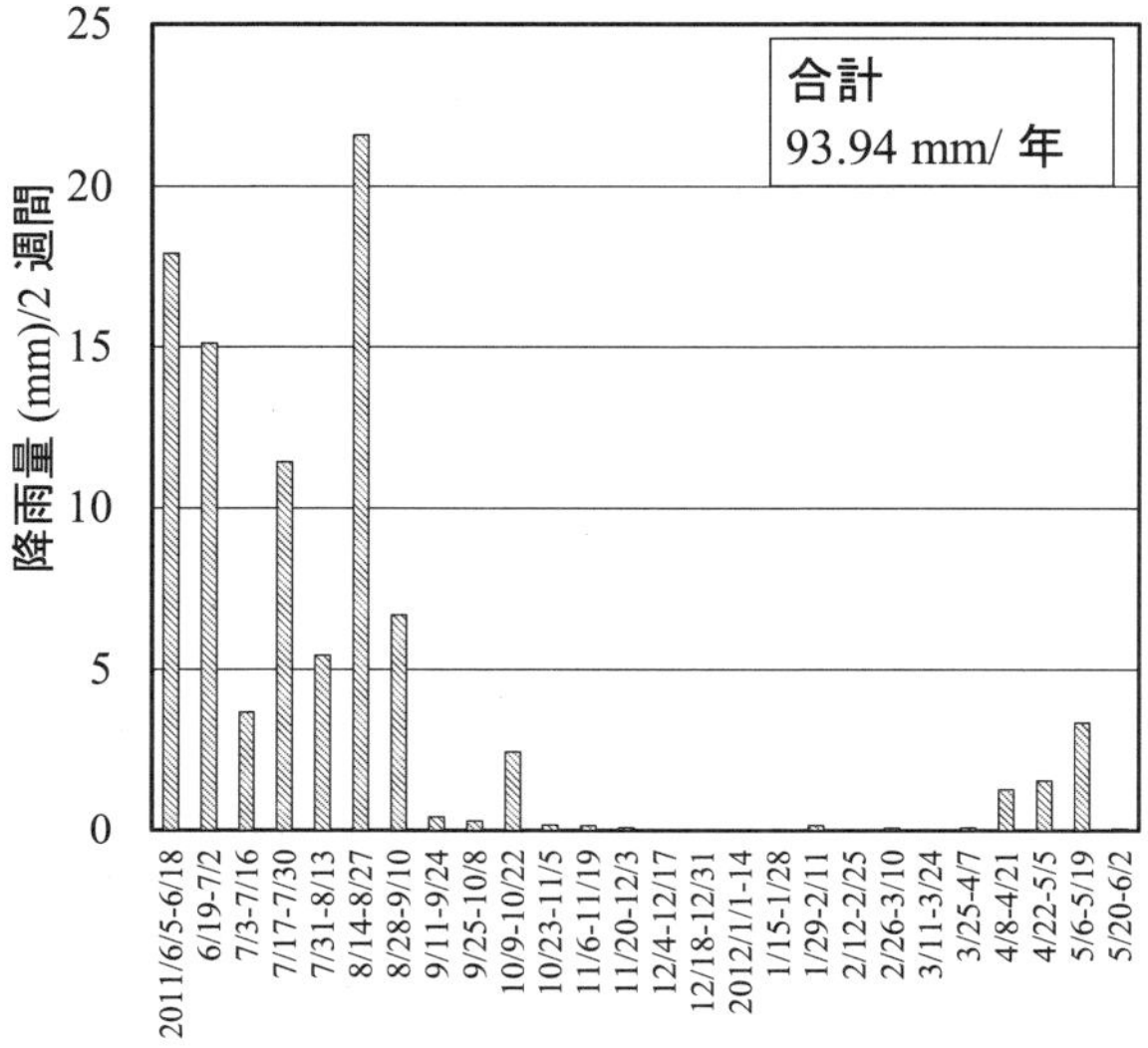

図７　自生地（ボグド）Ｂ－２の年間降水量（2011年6月～2012年6月）

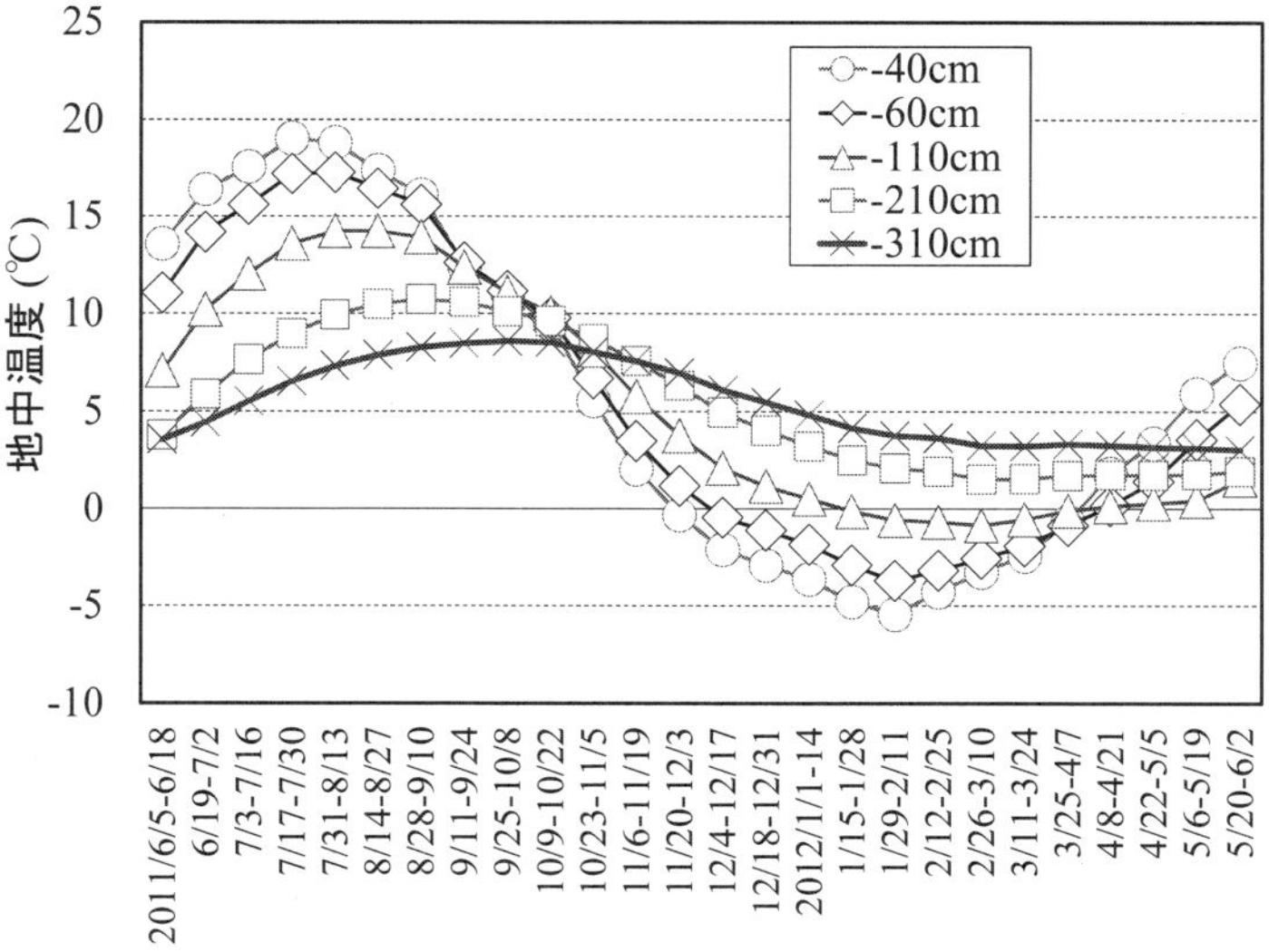

図８　自生地（ボグド）Ｂ－２の地中温度の年変化（2011年6月～2012年6月）

写真３　自生地（ボグド）Ｂ－２の積雪の様子（ブインバートル氏撮影）

けており、１１０、２１０、３１０㎝では年間を通じて多少の温度変化はあるものの、気温の変化に大きく影響を受けていないことがわかる。また２１０㎝と３１０㎝の箇所は、気温が氷点下に達しても氷点下にはならず、３℃から10℃の範囲で変動していることがわかる。

自生カンゾウの根の有効成分とその他の成分

前述のようにカンゾウは需要の高い薬用植物の一種であり、カンゾウ属植物の根あるいはストロン（走行茎）が「甘草」という製品である。「甘草」は医薬品に加え、食品、食品添加物、タバコ香料あるいは化粧品原料等幅広く利用されている（吉川、伊藤編２０１１）。特に薬用として利用されるものは、根及びストロンに含まれるグリチルリチン（ＧＣ）含有率が乾燥重量に対して２・５％以上含まれていなければならないことが日本薬局方で定められている（厚生労働省資料）。また、ＧＣは代謝副産物であり、生育環境に適応するために獲得される防御化合物であると考えられている（林、柴田編　２０１１）。そのため、気温、湿度、日照等

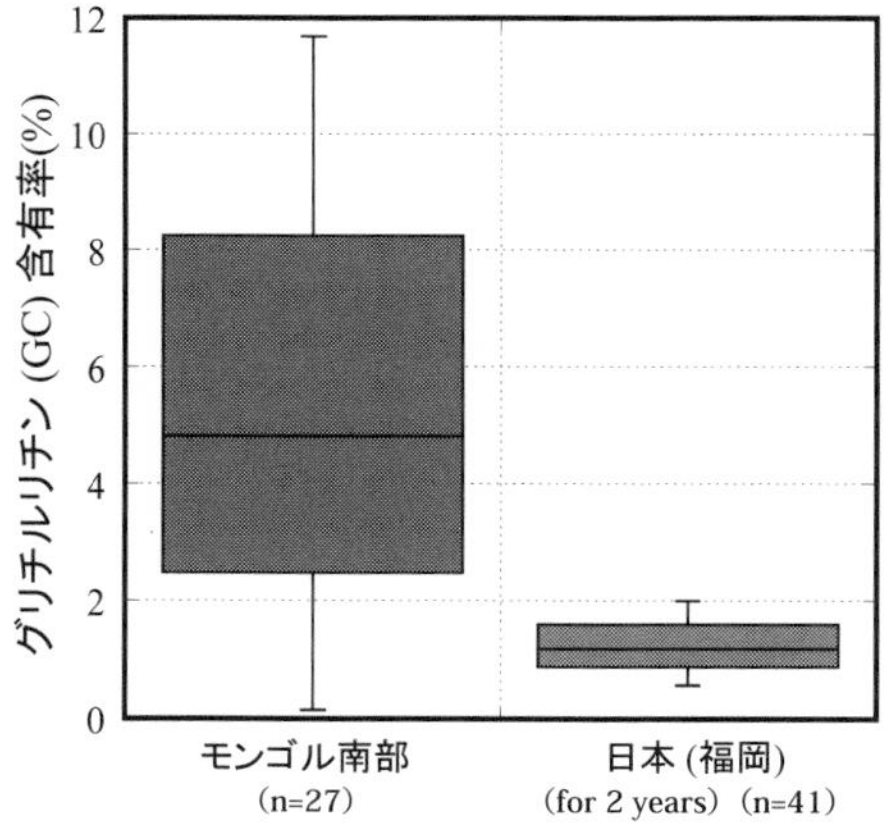

図９　自生カンゾウと栽培カンゾウの GC 含有率

の気象環境や土壌の水分環境・栄養環境・塩類環境がGCの蓄積に影響していると考えられている（林、柴田編　２０１１）。

　また、特に乾燥地では、一般的に土壌中の無機塩類の含有量が高いことが知られている。そこで、様々な地盤環境で育ったカンゾウ根がどのような成分含有量を有するか把握するために、図９にはモンゴル南部に自生する根（Southern Mongolia）と日本国内（福岡県）において様々な条件で生育実験を行った根（Cultivated in Fukuoka）のGC含有率を示している。また、表2に同じくGC含有率と根に含まれるCa、Mg、K、Na含有量を示す。比較のため、モンゴルの自生地A-1、B-1以外の自生地（Other sites in Mongolia）及び中国銀川（Yincheon）の自生カンゾウと福岡で生育実験を行った根（Fukuoka）のデータも示している。

　図９より、自生カンゾウの生育年数は不明であり、測定値は０・15％から11・68％の範囲であるが、日本において様々な土壌条件で生育させた二年生の苗よりも全体的にGC含有率が高く、平均値は三倍以上であることがわかる。このことから、自生地の環境がGCの蓄積に適していることが改めて推測できる。また表2よ

表２　自生カンゾウと栽培カンゾウのGC含有率と成分

場所	No.	GC含有率 (%)	Ca (mg/kgdry)	Mg (mg/kgdry)	K (mg/kgdry)	Na (mg/kgdry)	Ca/K
A-2	S_1-3-1	-	28900	7740	10700	-	2.70
B-2	S_3-7-1	2.54	23800	5910	5860	460	4.06
	S_3-7-2	3.45	20300	4160	6850	-	2.96
	S_3-7-3	-	21700	3650	6500	-	3.34
	S_3-7-4	2.80	17000	4180	3630	-	4.68
モンゴル他地点	S_4-1-1	11.68	8300	5220	11600	920	0.72
	S_5-1-1	7.41	7800	5520	10500	1100	0.74
	S_3-4-2	4.94	16300	4060	5300	310	3.08
	S_3-5-3	4.30	19100	7330	4490	1190	4.25
	SA-15	2.36	22500	3550	3690	-	6.10
中国	Yincheon-1	-	7100	2000	5000	650	1.42
日本	Fukuoka-1	-	9100	1530	19700	380	0.46
	Fukuoka-2	-	4800	1200	7800	32	0.62

(注)：-の欄は未測定

り、自生カンゾウ根は特にカルシウム含有量が高いことがわかる。さらに表の右端のCa含有量とK含有量の比（Ca/K）からわかるように、日本で実験的に栽培されたカンゾウはCaよりKの含有量が高く、モンゴルの自生種は逆にK含有量よりもCa含有量が高い根が多い。これらのことから、土壌中のカルシウムはカンゾウの根の成分に影響を与え、GC含有率を高める一要因となっていると考えられる。このような根が生育する地盤環境を把握するために、対象地において土壌のサンプリングを実施し、詳細な分析を行った。

サンプリング方法と調査項目

図2、写真2の地点A-1、A-2、B-1、B-2の各地点にトレンチを掘り、深さごとにサンプリングを行った。調査項目と試験方法を表3に示す。カンゾウや植物の生育に影響すると考えられる地盤の物理的特性、すなわち粒度分布、含水比を室内試験において測定した。地盤の化学的特性に関しては、pH、電気伝導度(Electric Conductivity, EC)、保肥性を表す陽イオン交換容量（Cation

表3　調査地と測定項目

地盤の物理特性

実験の種類			含水比	粒度分布	水分特性
試験方法			JIS A 1203 JGS 0121	レーザー回折式 分光光度法	加圧法遠心法
調査地点	バトサガン	A-1	○	○	
		A-2	○	○	
	ボグド	B-1	○	○	
		B-2	○	○	○

地盤の化学特性

実験の種類			pH / EC	CEC	交換性陽イオン (Mg^{2+}, K^+, Na^+)	強熱減量 ($CaCO_3$)	NO_3-N	NH_4-N	P_2O_5
試験方法			JGS 0211 JGS 0212	セミミクロショーレンベルガー法	原子吸光法	JIS A 1226 JGS 0221	フェノール硫酸法	ハーパー法蒸留滴定法	2.5% 酢酸抽出法
調査地点	バトサガン	A-1	○	○	○	○	○	○	○
		A-2	○	○	○	○	○	○	○
	ボグド	B-1	○	○	○	○	○	○	○
		B-2	○	○	○	○	○	○	○

Exchange Capacity, CEC）、さらに炭酸カルシウム（$CaCO_3$）と交換性陽イオン（Mg^{2+}, K^+, Na^+）、硝酸態窒素（NO_3-N）、アンモニア態窒素（NH_4-N）、リン酸（P_2O_5）の含有量を計測した。各調査項目の詳細な試験方法については次からの項で記す。

モンゴル南部の地盤環境の物理的な特性

先に示したように、乾燥地は降雨が少なく蒸発散量が降雨量を上回るので、カンゾウ及び乾燥地に自生する植物の生育には土壌の保水性と地下水環境が大きく影響する。従って、対象地の地盤内水分環境を調べ、カンゾウ自生地と非自生地の差異を把握できれば、その生育に適した水分環境を知る足がかりとなる。地盤内の水分環境はその地盤の粒度、密度、間隙比等で決まる。そこで、各調査地において深さ1～2m程度までの土の粒度分布及び土性、地点B-2の深さ方向の有効水分量、各調査地の深さごとの含水比等を調べた。

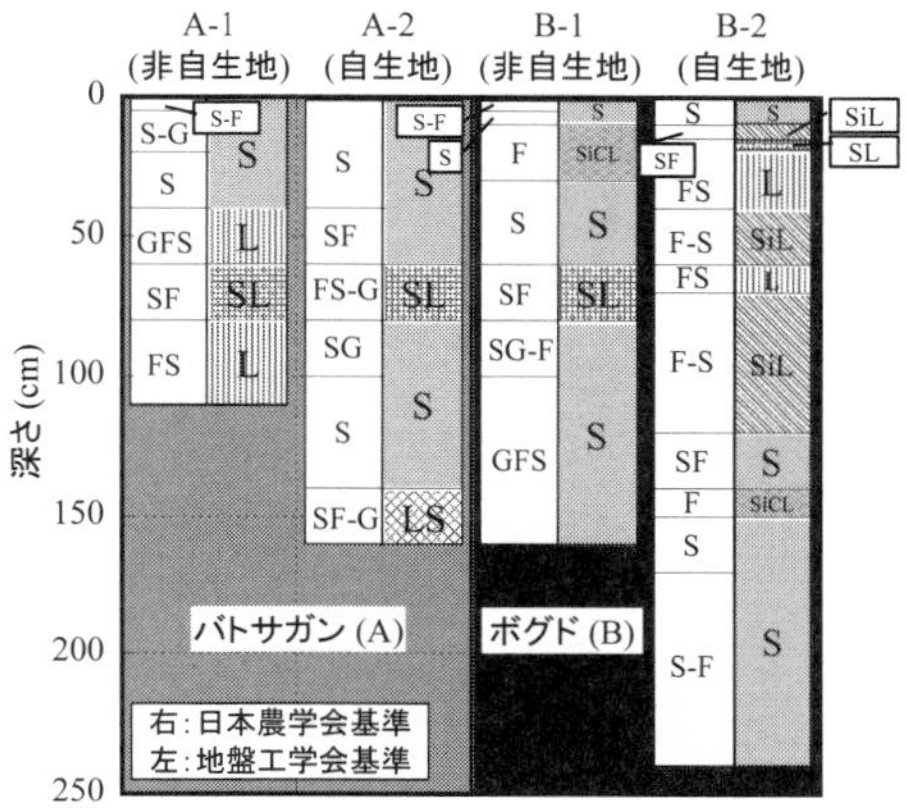

図10　各調査地の土層構成

調査地の土層の状況

深さごとの土性区分を図10に示す。土性区分とは、土の粒径分布から、含まれる粒径の割合によって土の種類を定義したものである。土性区分は数種類定義があり、図10には地盤工学会基準（地盤工学会編　2000）と日本農学会基準（土壌物理研究会編　2002）を示している。地盤工学会基準は75～2㎜を礫（Gravel, G）、2～0・075㎜を砂（Sand, S）、0・075㎜以下を細粒分（Fine, F）として表し、それぞれの粒径の通過質量百分率を基準にあてはめたものである。日本農学会基準は、2㎜以下の細粒の砂分を対象としており、2～0・02㎜を砂（Sand, S）、0・02～0・002㎜をシルト（Silt, 記号Si）、0・002㎜以下を粘土（Clay, 記号C）として表し、それぞれの通過質量百分率を基準にあてはめたものである。自生地と非自生地で土層構成に目立った差異は見られず、またどの調査地も深さごとに土性は異なるが、どの深さも主に砂質とシルト質の地盤で構成されていることがわかる。また、各調査地に共通して深さ60～80㎝に、シルト分を多

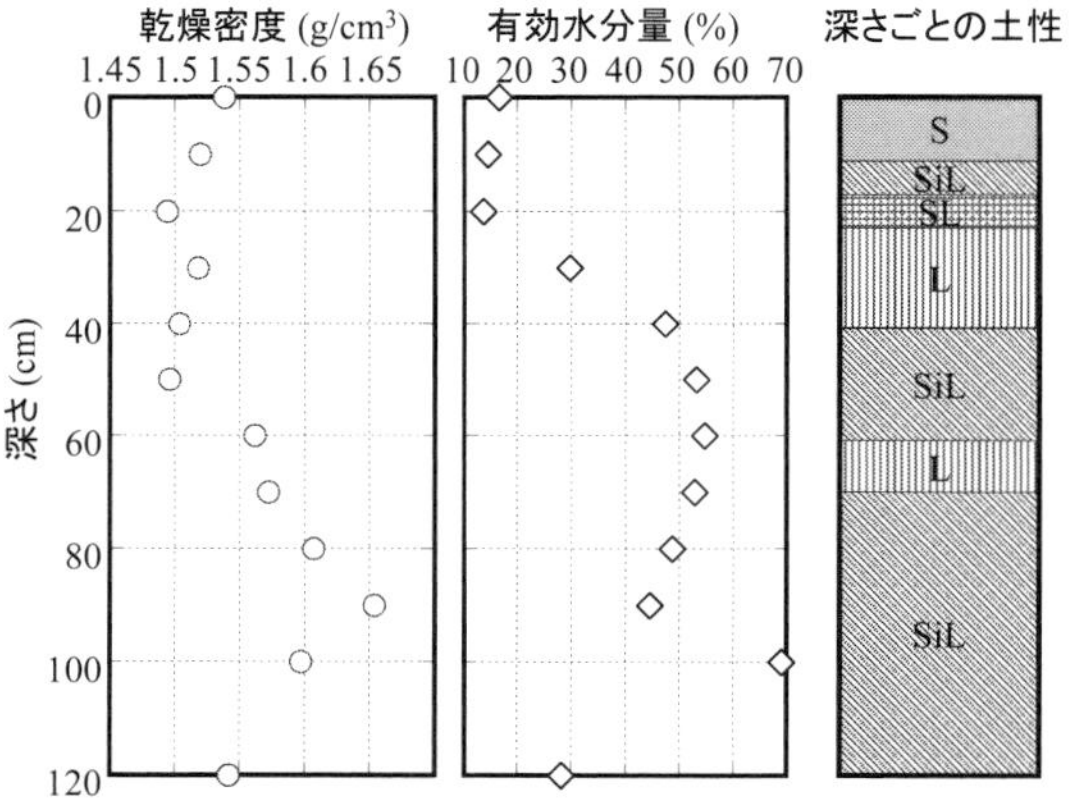

図11　地点B-2（ボグド、自生地）の深さ方向の乾燥密度と有効水分量

く含む層が存在している。図10のSL, L, SiCLはローム質土、S, LSは砂質土に分類され、一般的には前者のほうが後者よりも保水性や保肥性が高いと言われている（農林水産省資料）。

自生地B－2の保水状況

図11は、調査地B－2の深さ方向の乾燥密度と有効水分量を示したものである。本章での有効水分量は地盤内で、作物が通常利用できる状態の水分を、潜在的に保持できる量を表している。

図11より、乾燥密度は深さによって大きく異なり、深さ120cm程度までは1・50～1・65g／cm³程度である。また、深さによって保水性は大きく異なるので、それに従って有効水分量も異なることがわかる。さらに有効水分量は体積含水率と関係があるため、一般的には乾燥密度が大きくなると有効水分量も大きくなるが、図10のシルト質層（L, SiL）付近、すなわち一般的に保水性が高いとされている深さ50～60cmの土性の層は、乾燥密度が低いにもかかわらず有効水分量が高くなっている。このことから、今回調査したモンゴル南部の乾燥地の地盤は、潜在的に水分を十分

に保持できる土層を有していることが確認された。

カンゾウが生育するための水分環境

図12に各調査地の深さ方向の含水比（土の中に含まれる水の割合）を示す。まず自生地B‐2について述べると、図11の有効水分量が高い層で概ね含水比が高いことがわかる。一方、深さ１２０㎝程度の有効水分量が低い層は、深さ60～１２０㎝の層に存在するSiL層よりも地下水位に近い位置にあるにもかかわらず、含水比が低いことから、土層構成と保水性には関連性があることが確認できる。また、図12より、深さ方向の含水比はB‐2以外はどの深さにおいても0～5％の範囲である。B‐2の地下水位は、２０１１年6月は地表面から深さ１５０㎝、２０１１年9月は深さ２４０㎝であることを確認している。また、非自生地B‐1は地下水位が確認できず、地点A周辺は、井戸の水位を観測すると深さ３５０㎝程度であった。自生地B‐2と同じ土性及び密度の場合、同程度の保水性であると仮定すると、含水比2％（体積含水率3％）程度ではどの土性でも永久萎れ点（pF＝4.2, 1617 kPa）付近であるかもしくは超えており、植物にとっては過酷な水分環境にあることがわかる。さらに地点A‐1及びA‐2とB‐1のような自生地と非自生地で似た水分分布の地点が存在し、三地点の深さ１６０㎝までの含水比は平均するとそれぞれ約1･5、2･3、1･3％であることから、地表から2ｍ以浅において含水比が低くてもカンゾウは自生できることが示唆された。さらに、丸居らが行った無灌水で地表面からの蒸発を抑えた砂質地盤でのカンゾウ生育実験によると（丸居ら編　２０１１）、図13に示すように無灌水期間が2か月程度になると蒸散が止まり、カンゾウは一度枯死した。また、この生育実験は直径10㎝、高さ50

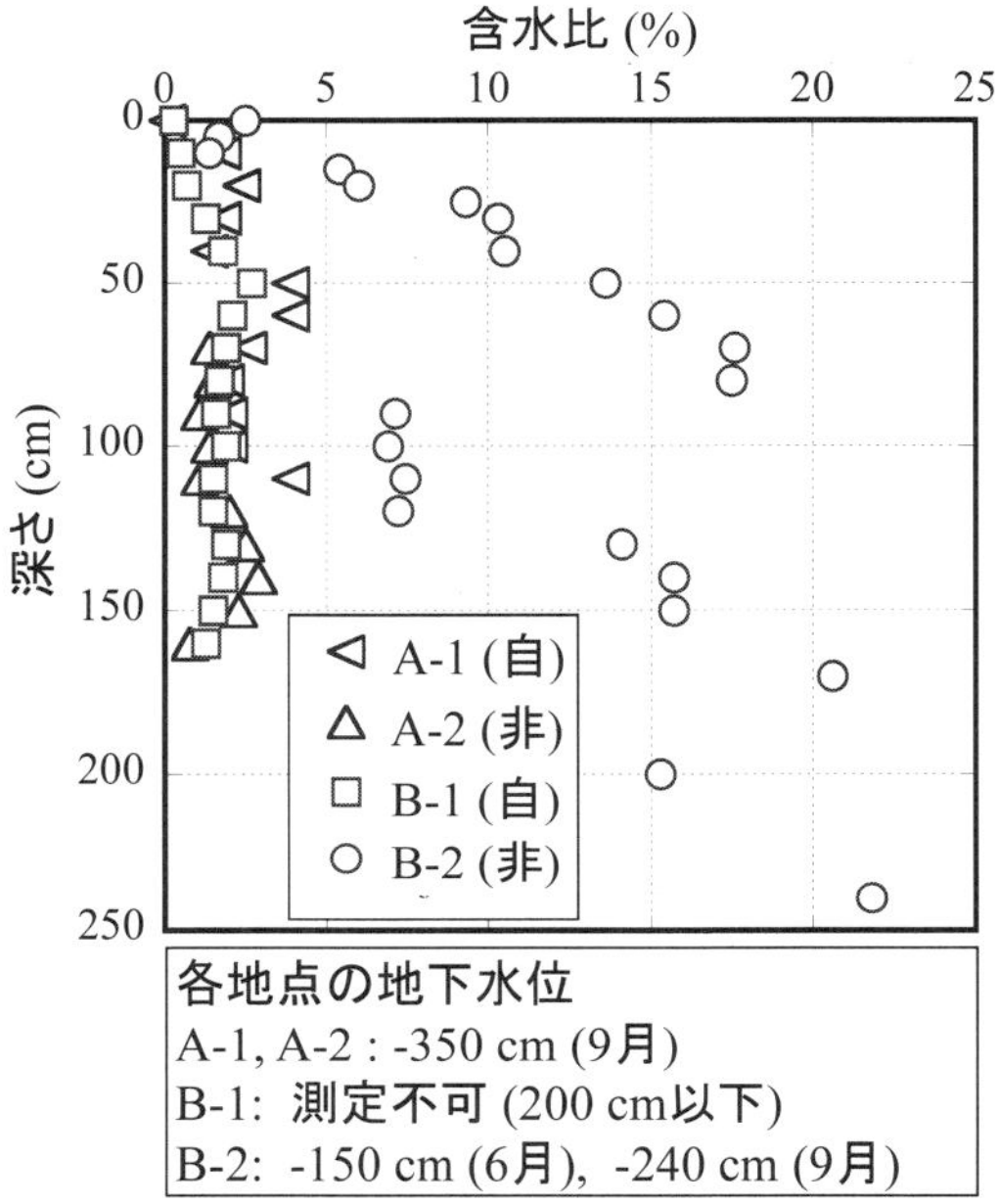

図12　各調査地の深さごとの含水比分布

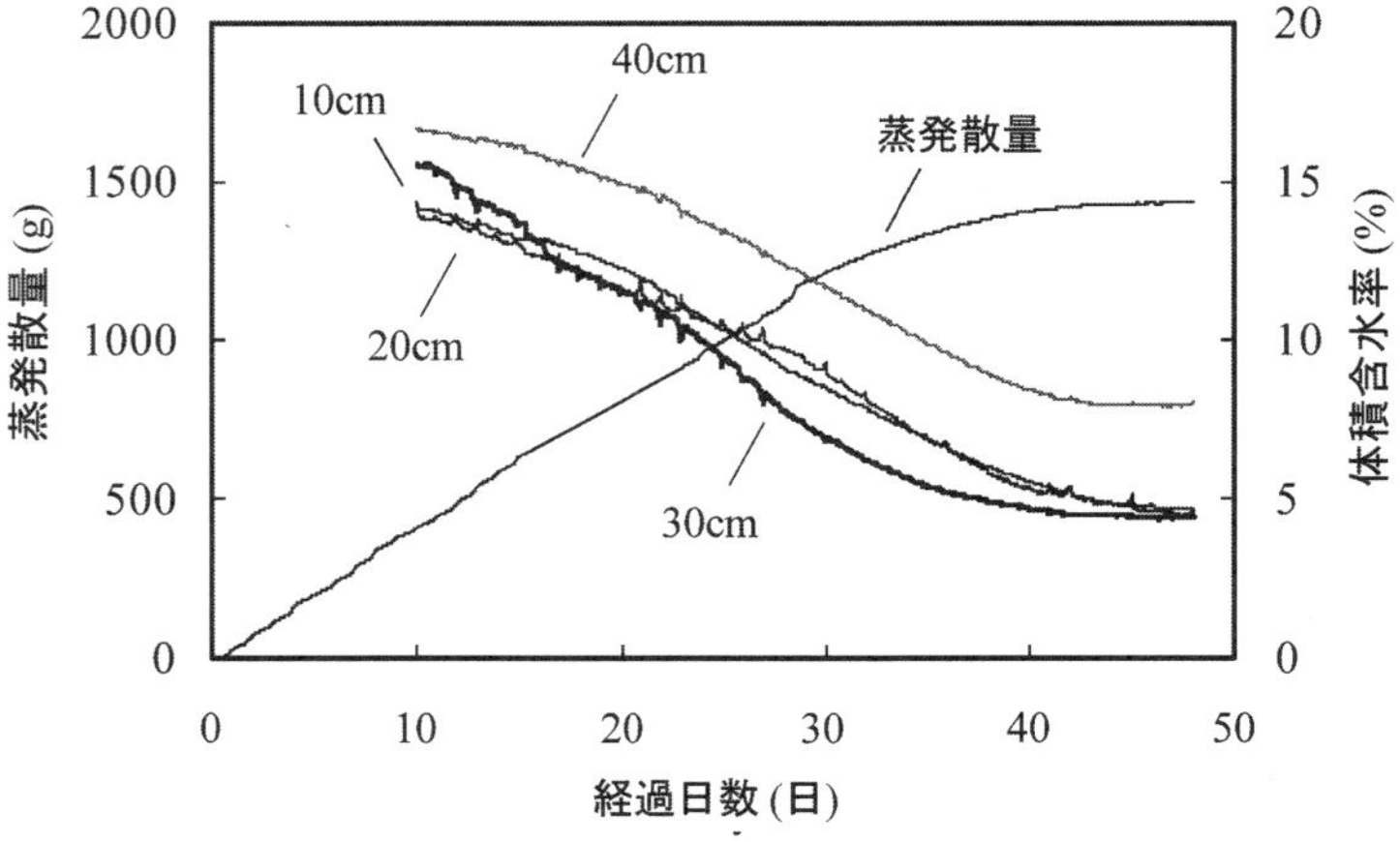

図13　蒸発散量 - 体積含水率関係（丸居ら、2011）

cmの塩ビ筒で行われたものであり、図13内の10、20、30、40cmは深さごとの体積含水率を表している。筒内の最も低い体積含水率は５％（含水比約３・５％）であった。この結果はカンゾウが生育できる境界の含水比が３・５％前後であることを示唆し、カンゾウを健全に生育させるためには、少なくとも５％程度の水分を保つことが重要であることが示された。

モンゴル南部の地盤環境の化学的な特性

カンゾウまたは一般的な植物の生育にとって、地盤内の化学的環境は重要である。カンゾウ自生地の化学的環境を把握することができれば、カンゾウの生育に適した養分環境を理解するヒントになる。逆に非自生地の化学的な環境を明らかにできれば、カンゾウ生育に不足している、あるいは過剰な栄養分を把握する足がかりともなる。前述したように、植物の生育に影響を及ぼす地盤内の化学的環境として、土壌のpH、電気伝導度(Electric Conductivity, EC)、水溶性・交換性陽イオン、陽イオン交換容量（Cation Exchange Capacity, CEC)、炭酸塩及び窒素、リン酸含有量等が挙げられる。pHは地盤の酸度を表す指標であり、ＥＣは地盤内の水溶性の(土中の水に溶けている）塩類濃度を表す指標である。炭酸塩、特に炭酸カルシウムは、降雨が少なく化学的風化の進みやすい乾燥地では水に溶けにくいので、表層１～２ｍ以内の浅い層に卓越して含有される。従って、地盤内の炭酸カルシウム含有量は、カンゾウの成長初期段階、すなわち根が地下深くまで到達していない状態の生育において重要な影響因子となる。交換性陽イオンとは、土粒子表面に電気的に結合している状態の陽イオンのことである。交換性陽イオンは土中の水に含まれる水溶性陽イオンと容易に交換することができ、また植物根は水素イオン（根酸）を放出してそれらを土中の陽イオンと交換し、養分として交換性陽イオンを得ることが知られている（久馬ら編　１９８４）。本章では、植物の生育はもちろん、塩類集積の観点からも特に三種の交換性陽イオンMg^{2+}，K^{+}，Na^{+}の深さ方向の分布に着目する。ＣＥＣはこの交換性陽イオンが土粒子にどれだけ吸着できるかを表す保肥性の指標である。

窒素、リン酸等の有機分は一般的な植物の生育にとっての必須要素である。窒素は植物体に欠かせないタンパク質の構成成分として重要であり、特に植物が利用しやすいのは無機態の硝酸態窒素、アンモニア態窒素である。リン酸は細胞膜成分のリン脂質や核酸の構成成分になったり、呼吸やエネルギー伝達に関与する。

そこで、これまでに挙げた土壌の化学的指標の自生地と非自生地での差異と、それに加えて土壌の物理特性との関連性について紹介する。

調査地の酸度と塩類濃度を表すpHとEC

図14に調査地の深さ方向のpH、図15にＥＣの分布を示す。図14より深さ1～2ｍ程度の浅層域では、どの調査地・どの深さにおいてもpHは概ね7～10程度であり、アルカリ性地盤であることがわかる。図15に示すＥＣの深さ方向の分布では概ね０・１～０・８ mS／㎝の値をとり、他の塩類集積地や乾燥地のＥＣのデータと比較すると決して高い値とは言えない（Eisenberg ら編　１９８２）。しかし図14と図15に共通しているのは、カンゾウ自生地、非自生地に関わらず深さ50～１００㎝の間で共通してpHとＥＣが相対的に高いことである。これは、

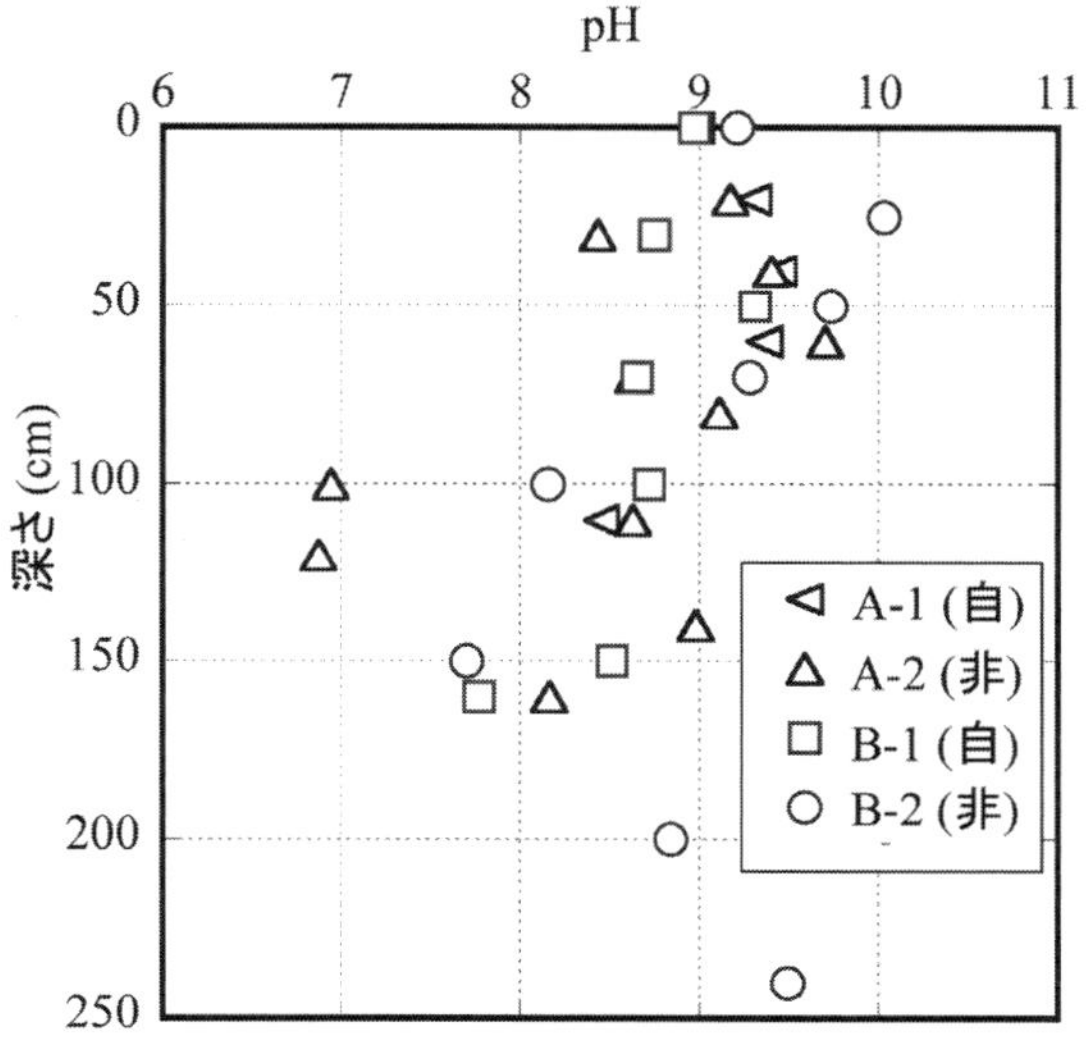

図14　各調査地の深さごとの pH（2011.9）

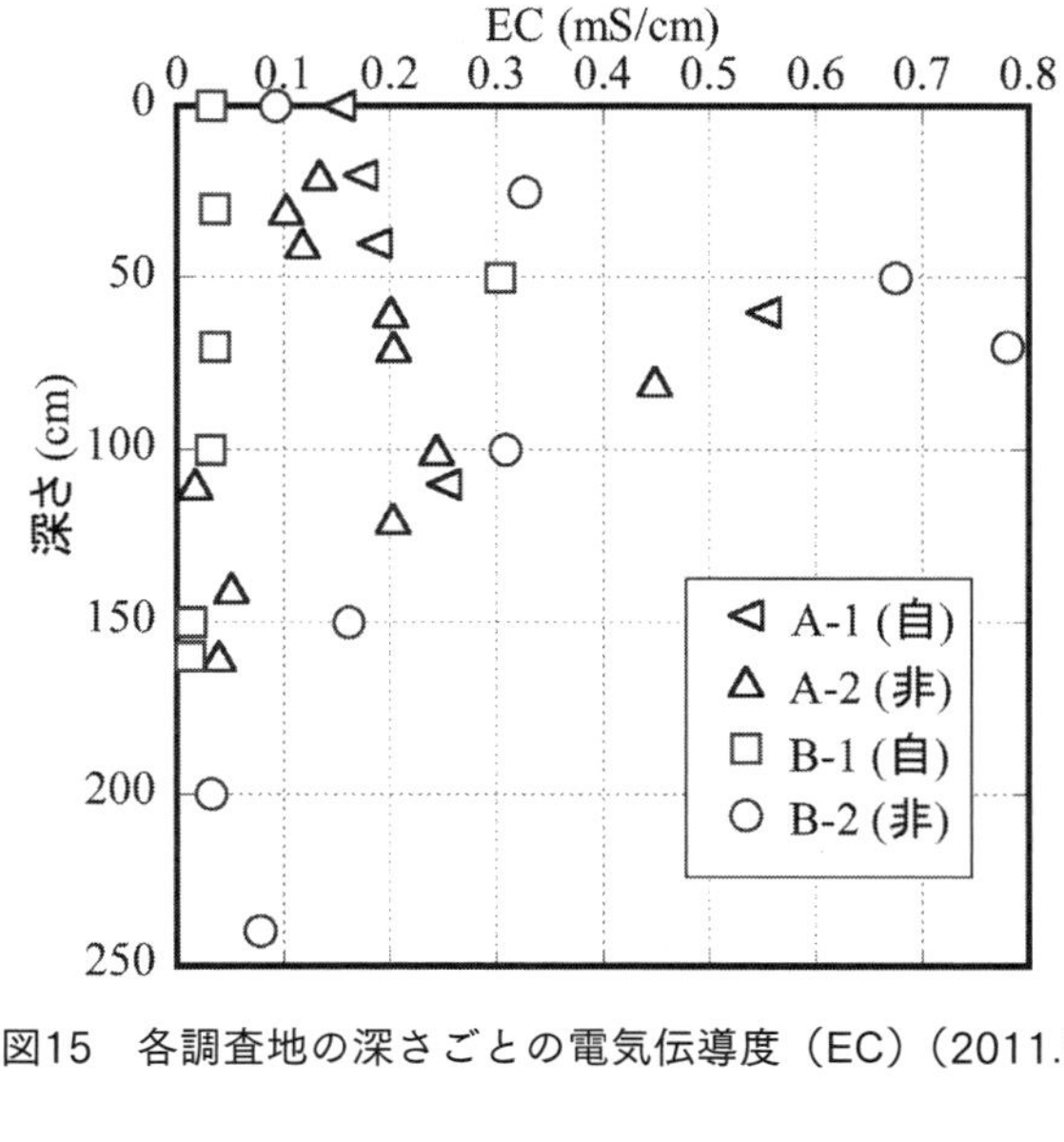

図15　各調査地の深さごとの電気伝導度（EC）（2011.9）

先に述べたような土層構成が影響しているものと判断される。すなわち、保肥性がS層よりも比較的高いSL, L, SiL層に塩類が保持されたと考えられる。これに加え、降雨量、地下水位や蒸発量等、土質そのものの特性以外の要因も深く関わっている。そこで、土壌中の化学成分、特に塩類と陽イオンを詳細に測定したデータを紹介する。

栄養素となり得る地盤内の炭酸カルシウムと各種交換性陽イオン含有量

図16に深さごとの炭酸カルシウムをカルシウム分に換算した値、図17から図19に深さごとの各調査地の交換性陽イオン三種（Mg^{2+}, K^{+}, Na^{+}）を示している。カルシウムは他の交換性陽イオンと比較して10～１００倍高い値を示し、自生地B－2の70㎝程度の深さでは土壌の質量の10％近くを炭酸カルシウムが占めている。前述の表2においてもカンゾウ根の成分もカルシウムが高くなっていることから、炭酸カルシウムがカンゾウの成長や成分に多大な影響を及ぼしていることが推測でき、カンゾウ生育にカルシウム分は不可欠であることが示唆される。

また、図17と図18より、交換性Mg^{2+}とNa^{+}に関して、非自生地B－1以外で50～１００㎝程度の深さで陽イオン含有量が高いことがわかる。これには地盤の土層構成が影響しているものと思われる。

B－1は60～80㎝にSL層が卓越し、pHやECも60～80㎝において比較的高いにもかかわらず、炭酸カルシウムと三種の交換性陽イオンの値が全体的に低いことがわかる。60～80㎝程度でのpHとECは、他の深さと比較して相対的に高いことから、地盤内の間隙水に溶存している水溶性陽イオンはpHとECを高める程度には存在

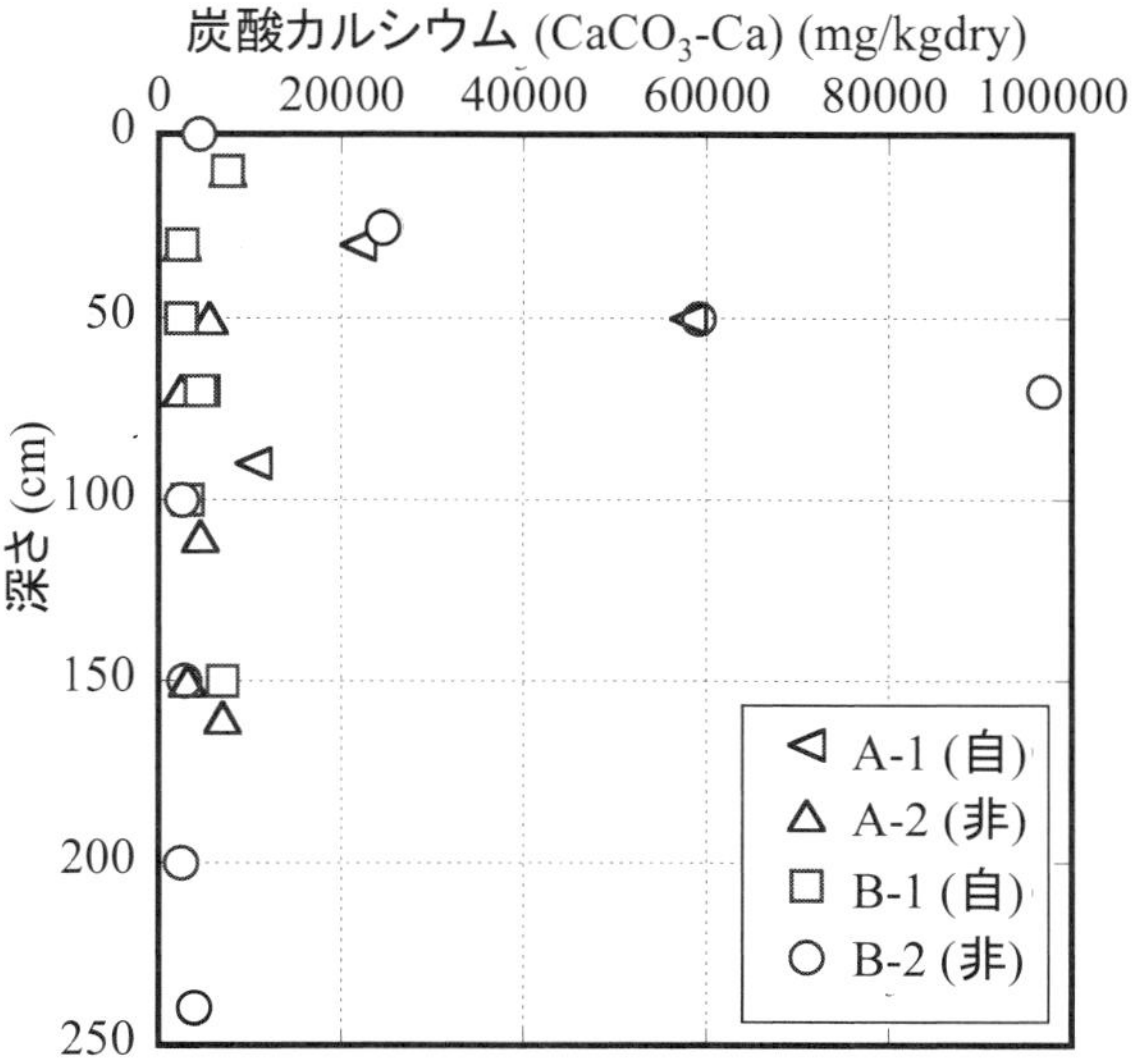

図16　各調査地の深さごとの炭酸カルシウム含有量（2011.9）

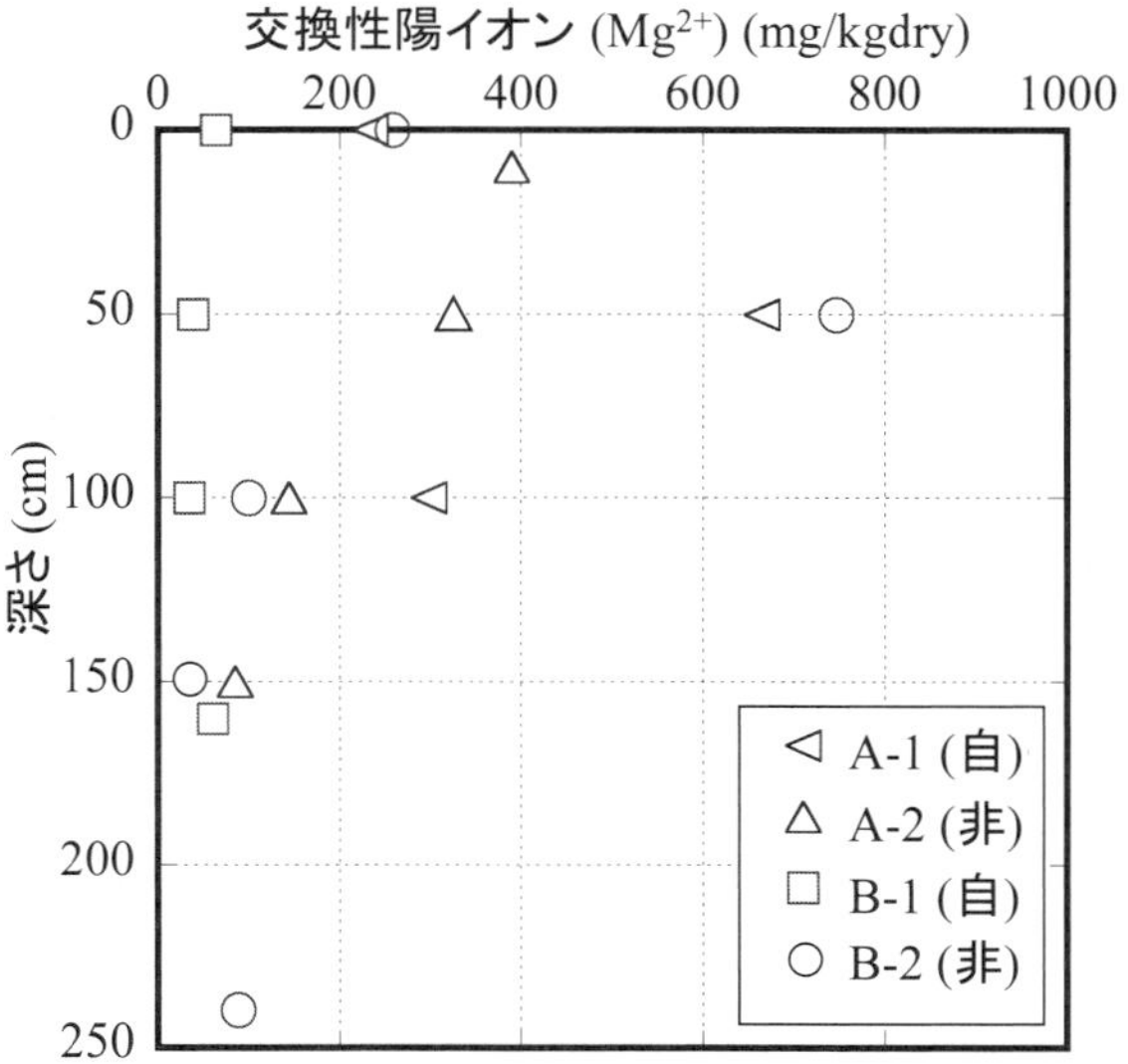

図17　各調査地の深さごとの交換性マグネシウムイオン（Mg^{2+}）含有量（2011.9）

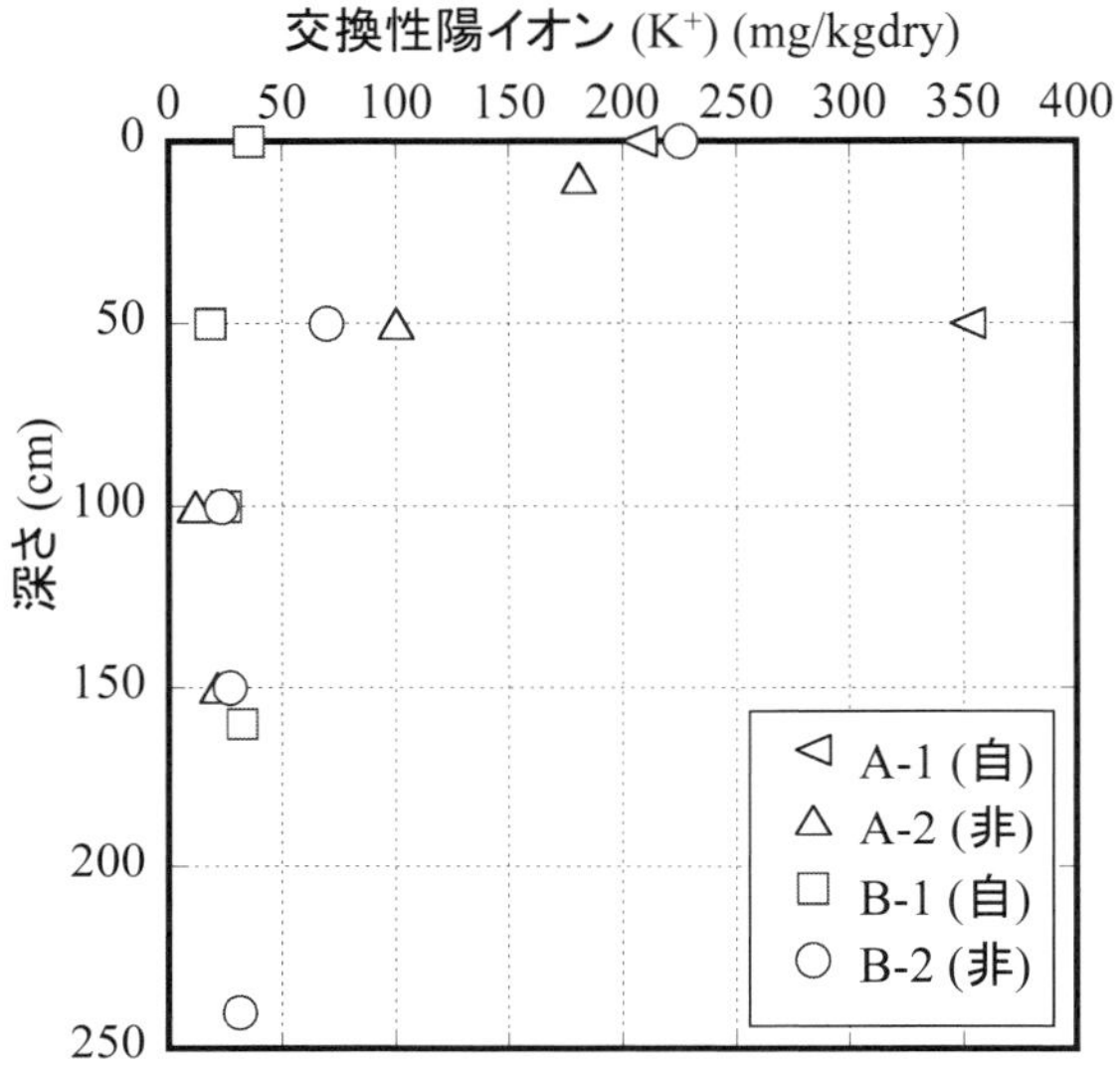

図18　各調査地の深さごとの交換性カリウムイオン（K^+）含有量（2011.9）

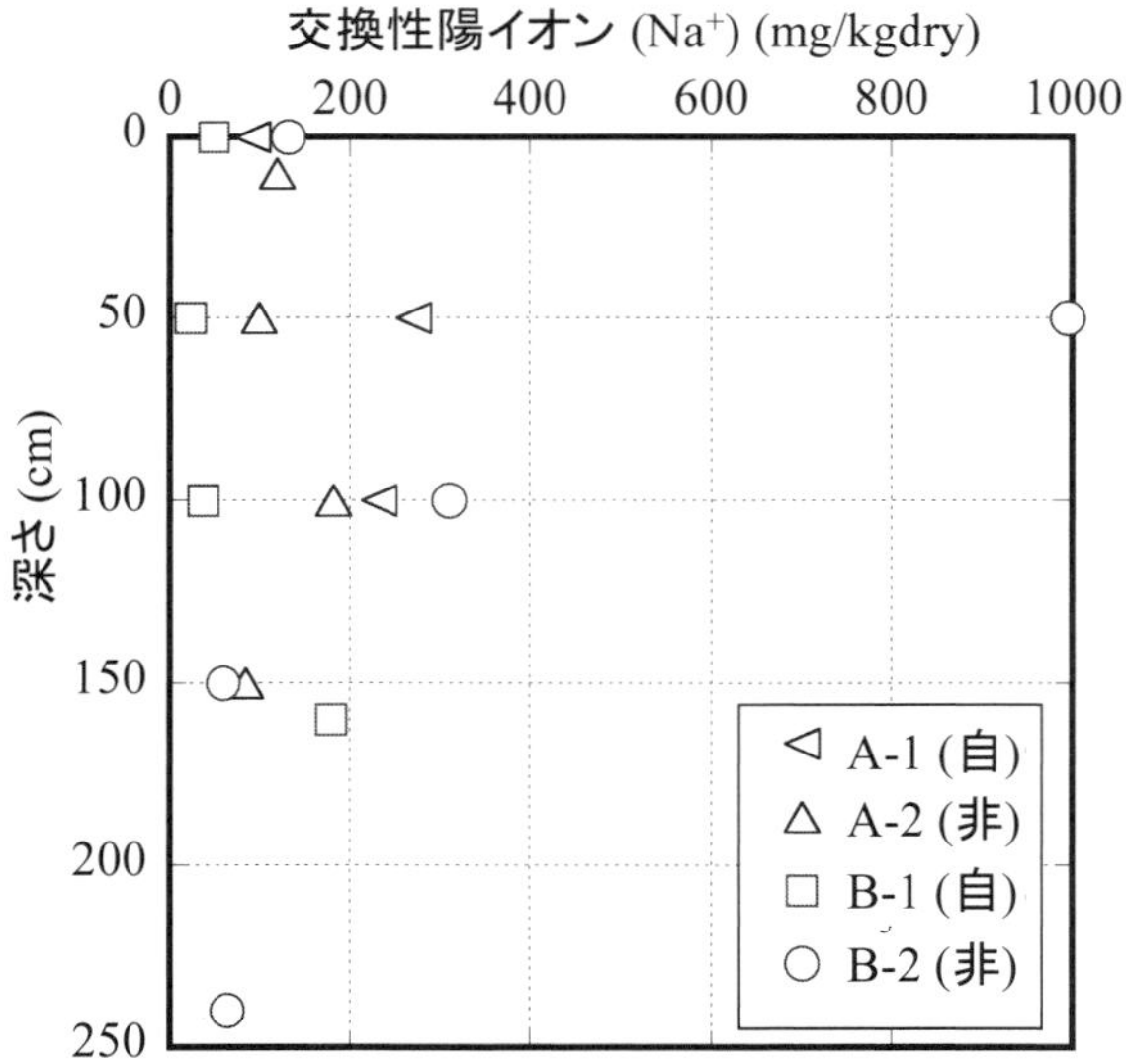

図19　各調査地の深さごとの交換性ナトリウムイオン（Na^+）含有量（2011.9）

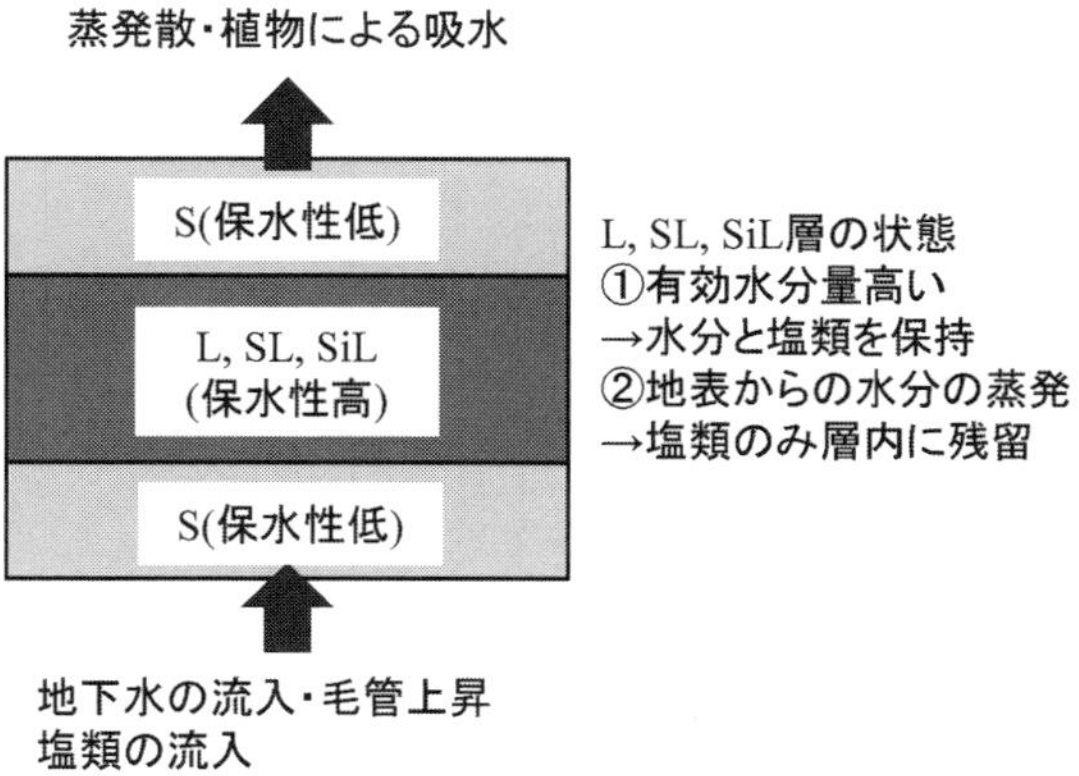

図20　塩類滞留の概念図

していると考えられる。

さらに、50～70㎝の深さに分布するシルト質層、すなわち保肥性が中程度の層に塩類が堆積していると考えられる。これに加え、降雨や蒸発、地下水位等の外部からの塩類を含んだ水分の流入・流出もこのような地盤環境になった要因として挙げられる。これまでに示した結果から、地盤内の塩類滞留について考察する。説明のための概念図を図20に示す。地下水位が比較的高く、水分の流入・流出が激しいと推察される地点Aや自生地B-2は、塩分を含んだ水がシルト質のL, SL, SiL層に滞留する環境にあることが示唆される。そのため、水分や塩類を保持しやすいシルト質層に塩分が一時滞留する。その後、交換性陽イオンとなって土に電気的に吸着、または固化した炭酸塩となり、シルト質層に留まることが推察される。その結果、カンゾウの成長に十分な無機分が供給されていると考えられる。逆に、地下水位が低く降雨も少なく、水分供給がほとんどない非自生地B-1のような地点は、深さ50㎝付近にシルト質層は存在するが、多地点と比較して炭酸カルシウムや交換性陽イオン含有量は少ない。すなわち塩分を含んだ地下

表４　各調査地の pH, EC, CEC, 炭酸カルシウム、交換性陽イオン、硝酸態、アンモニア態窒素及びリン酸

			pH	EC	CEC	炭酸カルシウム $CaCO_3$-Ca	交換性マグネシウムイオン Mg^{2+}	交換性カリウムイオン K^+	交換性ナトリウムイオン Na^+	硝酸態窒素 NO_3-N	アンモニア態窒素 NH_4-N	リン酸 P_2O_5
場所	地点	深さ (cm) /単位		mS/cm	$cmol_c$/kgdry	mg/kgdry				mg/kgdry		
バトサガン (A)	A-1	0-10	8.98	0.152	2.1	-	310	70	240	34.1	50	11
	A-2	140	8.98	0.051	2.1	6489	70	30	60	0.4	50	4
ボグド (B)	B-1	20	-	-	1.9	-	40	40	50	0.6	50	11
	B-2	0	10.26	0.24	5.2	-	190	310	810	5.8	50	6
		50	1.08	0.62	5.6	-	500	1100	1430	3.3	40	10
		240	9.49	0.08	2.1	3841	90	100	770	0.8	60	15
		培養土 (a)	6.35	1.57	21.3	-	870	1700	304	391	708	400
		培養土 (b)	7.37	0.23	49.9	-	1300	160	750	38.7	590	90

水の供給が少ないので、無機分の少ないカンゾウ生育に不適切な地盤環境になったと推測できる。カンゾウの根にとって地盤内水分環境は、単純な水分供給だけでなく、栄養分を供給する場合も重要な因子となると考えられる。

保肥性を評価する陽イオン交換容量

表４は自生地・非自生地の表層付近のpH、ＥＣ及びＣＥＣと、図16で示した炭酸カルシウム中のカルシウム分（$CaCO_3$-Ca）、図17から図19で示した各種交換性陽イオンをまとめたものである。また、比較のために日本での一般的な植物栽培に使われる市販の培養土２種（ａ）、（ｂ）のデータも示す。表４よりどの地盤もＣＥＣは培養土（ａ）、（ｂ）と比較すると低く、１／20～１／10程度である。従って、調査地は一般的な植物の生育にとっては保肥性の低い地盤であることがわかる。

肥沃度の指標としての硝酸態窒素、アンモニア態窒素、リン酸の含有量

表４には硝酸態窒素、アンモニア態窒素、リン酸も示している。表４より、どの地盤も硝酸態・アンモニア態窒素、リン酸は培養土（ａ）、（ｂ）と比較すると低く、どの成分も培養土の１／10以下であることがわかる。これより、調査地が一般的な植物にとって過酷な地盤環境にあることが改めて推察される。カンゾウはマメ科の多年草であり、一般的なマメ科の植物は他の植物と比べて土中の窒素を必要とせず、空気中の窒素を固定する根粒菌という微生物と共生して必要な窒素分を補うことが知られている（植村編　１９７７）、実際に根に根

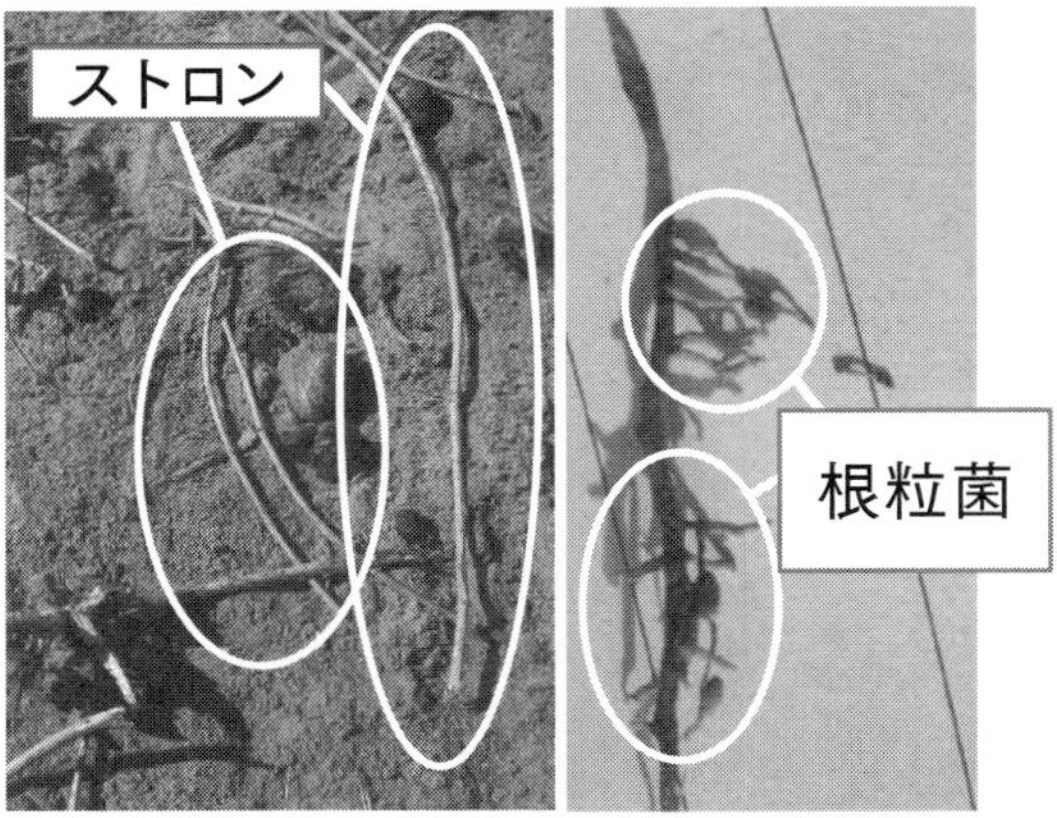

写真４　カンゾウ根のストロンと根粒菌（大嶺聖氏撮影）

粒菌が付着している自生カンゾウの存在も確認している（写真４）。一方、国内において有機分の少ない乾燥地地盤に類似した土壌で幼苗から生育させた場合、健全な生育が望めないこともわかっている（古川ら編　２０１１）、また、カンゾウは一個体からストロン（走行茎、写真４）という地下茎を伸ばし、株を増やす性質を持っている。従って乾燥地では種から発芽した強い個体のみが生き残り、ストロンにより繁殖していると推察できる。よって、乾燥地で種や幼苗から生育させる場合、何らかの方法で水分や有機分を補いながら生育させることが肝要である。

砂漠化対策への取り組み
―まとめにかえて―

薬用植物「カンゾウ」を用いた持続可能かつ自立支援を目的とした砂漠化防止技術を見出し、乾燥地の地盤環境保全と修復に資するために、モンゴルにおける乾燥地（カンゾウ自生地及び非自生地）において地盤環境調査を行い、基礎的なデータを得た。その主要な結果を表５と次に記す文章にまとめた。

表５　各調査地の気象環境と地盤の物理・化学的環境のまとめ

		バトサガン (A)		ボグド (B)	
		1. 自生地	2. 非自生地	1. 自生地	2. 非自生地
気象環境	温度，降雨	年平均気温約4.5 ℃，年降雨量76.5 mm「乾燥地」「沙漠」に区分 (1994 - 2011)			
	地下水位	- 350 cm (2011.9)		- 200 cm以下 (2011.6)	-150 cm (2011.6) -240 cm (2011.9)
地盤の物理的環境	土性	砂質およびシルト質			
	地盤内の含水比分布	シルト質層が高い	どの層も5 %以下		
	保水性	シルト質層が高い	未測定		
地盤の化学的環境	保肥性	低い (CEC 2 - 5 $cmol_c$/kgdry)			
	pH	アルカリ性 (pH 7 - 10)			
	EC	1.0 mS/cm 以下			
	主な塩基分	炭酸カルシウム ($CaCO_3$)			
	必須栄養素	植物培養土と比較すると少ない			

調査地であるバヤンホンゴル（Bayanhongor）県ボグド（Bogd）村は過去18年間を通して平均気温は4・5℃、降雨量は平均76・5㎜／年である。この気象状態はde Martonneの乾燥指数ではほぼ「沙漠」に区分され、Köppenの乾燥限界では「砂漠地帯」に区分される。また、Thornthwaitの方法より求めた可能蒸発散量から国連環境計画（UNEP）の気候区分を行った場合、乾燥地域に区分される。ボグド村付近のカンゾウ自生地B－2の一年間の気象データから、調査地は昼夜・夏冬の寒暖の差が最大で70～80℃程度の地域であった。

次いで、カンゾウ自生地と非自生地の地盤環境調査を行った結果、自生地、非自生地いずれも地下1～2m程度の浅い域では不均質な砂質－シルト質の土質で構成されていた。さらに、自生地、非自生地共通して50～１００㎝の間に粒径の細かいシルト分を多く含む層が存在することもわかった。

また、自生地と非自生地の1～2mの深さの含水比分布を調査したところ、カンゾウが自生できる境界の水分状態が3・5％程度であることが示された。

加えて、調査地のpHはどの層でも概ね7〜10程度であり、アルカリ性地盤であった。また、地盤内栄養環境は特に炭酸カルシウムが多く、最も多い箇所では土壌中の10％程度を占める層も存在した。自生地はシルト分を多く含む層に炭酸カルシウムや交換性陽イオンが蓄積され、その結果pH、ＥＣは他の層と比べると高い値を示した。しかし非自生地Ｂ-1はシルト分を多く含む層を有するにも関わらずカルシウム分や交換性陽イオンは他の地点と比較して低いこともわかり、降雨も少なく地下水位の低い地点では塩分の動きもなく、カンゾウの生育に十分でない環境になることが示唆された。

最後に、自生地・非自生地共に栄養（交換性陽イオン）を吸着できる能力を表す陽イオン交換容量（ＣＥＣ）が低く、一般的な植物栽培に用いる培養土の１／10程度の保肥力であることがわかった。また、アンモニア態・硝酸態窒素、リン酸といった必須栄養素が圧倒的に低いことがわかり、自生カンゾウは必須栄養素が少なくても生存できる強い個体のみが生き残っていることが推測される。

自生地・非自生地の違いを定量化することは簡単ではないが、おそらく地下水位が低い非自生地Ｂ-1のような地域では水分やそれに含まれるカルシウム等の無機塩分が地盤中に滞留せず、根に供給されず、結果として植物が育たないような環境になっているものと考えられる。このため、カンゾウを健全に生育させるには、生育段階に応じて地盤内の水分と養分を適切に確保することが重要となる。筆者らはこのような観点から、「緑化土質材料」を用いた砂漠化防止方法について検討している（安福ら編　２０１２）。「緑化土質材料」とは保水性と保肥性の高い土質を筒状にした材料である。緑化土質材料にカンゾウを植え乾燥地地盤に定着させることによって、土中の適切な水分がある深さに到るまで根が生育するための水分・養分を補うことが期待できる。

写真５　玄海町薬用植物栽培研究所の様子（筆者撮影）

現在、緑化土質材料を利用して、土地劣化によってカンゾウの分布が退行した履歴を有する非自生地B−1とその周辺において植生実験を実施している。具体的には、低コストで簡易に調達・作成できる土質材料そのものの選定と、構造体としての緑化土質材料の大きさ、設置方法の検討及び、土壌水分・養分とカンゾウ生育の関係を定量化することを目的とした実験を行っている。先に示した保水性が高く、カルシウム分等を多く含むシルト質の土と培養土を混合したものを筒状の袋に充填して緑化土質材料とし、これらの混合割合を変えて生育実験を進めている。

このような砂漠化対策の取り組みの中で、カンゾウ栽培研究の一環として佐賀県東松浦郡玄海町の薬用植物栽培研究所にて生育実験を行っている（写真５）。

カンゾウ生育実験に関しては、安価で容易に、また農薬を使わない栽培方法を考案し日本薬局方基準である乾燥重量に対してグリチルリチン（GC）含有率2・5％を満たす根を短期間で栽培する方法を模索している。現在は玄海町の畑土をはじめとする数種の土質や有機肥料で生育を行い土質や肥料の違いに対

写真6　モンゴルの実験サイトの様子（B-F 周辺）（筆者撮影）

するカンゾウの生育への影響を把握している。

また玄海町の畑土での栽培に加えモンゴルの乾燥地を模擬し、緑化土質材料を使った栽培区域を設け、土壌中のカルシウム分に対するカンゾウ生育への応答を確かめる実験も行っている。現段階で得られている成果として、カンゾウは砂地盤で生育する場合、土壌中のカルシウムの量が多いと生育量が増大するということがわかっている（古川ら編　２０１２）。

このような九州大学と玄海町の共同プロジェクトを通して、薬草を用いた地域振興とともに、草の根的な砂漠化抑止技術を提案することを目指している。

さらに、先に述べた成果を基にカンゾウ非自生地Ｂ-１から２㎞程度離れた地点（図２の地点Ｂ-Ｆ）に、写真６のように20×20㎡のフェンスを設け、緑化土質材料を用いた種々の条件で生育実験を行っている。また、乾燥を防ぎ、水分の確保のためにビニールシートで地表を覆うマルチングを設けた区画では、カンゾウの生存率がマルチングをしない区画と比較して二倍以上高いことが確認され、表層処理としてのマルチングの有効性が示されている。また、緑化土質材料には微生物が分解できる素材である生分解性プラスチックを用いている。これにより、環境に負荷がかからないような条件で実験を行っている。

今後は本調査によって得られたこれらのデータと生育実験のデータを基に、モンゴル南部乾燥地地盤の物理化学特性を活かし、かつ現地のコミュニティと共同で行える低コストで簡易な付加価値の高い乾燥地緑化技術の検討・開発を進めていく予定である。

謝辞：本章の内容の一部は九州大学・玄海町薬草プロジェクト、科研・基盤研究Ａ（No. 22246064 代表者：安福規之）の成果を基に書かれたものである。加えて、本章のデータを得るために共同で調査を行った大嶺聖教授（長崎大学）、丸居篤准教授（弘前大学）、小林泰三准教授（福井大学）、永渕智章氏（丸紅株式会社）、清塘悠氏（(株) 竹中工務店）、新開敦氏（福岡市役所）、またモンゴル科学アカデミー植物研究所の **Bayart Mandakh** 氏、**Tuvsin Indree** 氏、**Munkhjargal Battsern** 氏及び調査員の方々に深く感謝の意を表します。

◎参考文献

吉川賢、山中典和、大手信人：乾燥地の自然と緑化、共立出版、pp. 1, 4-8, 37-40, 2004.
UNEP: Status of Desertification and Implementation of the United Nations Plan of Action to Combat Desertification, 1992.
Yasufuku, N., Liu, Q. and Furukawa, Z.: A geotechnical challenge for combating desertification, Proceedings of JS-Seoul 2012, pp. 7-23, 2012.
安福規之：砂漠化防止と薬草と地盤工学、地盤工学会誌、Vol.58, No.1 (624), pp. 46-47, 2010.
Liu, Q., Yasufuku, N., Omine, K. and Hazarika, H.: Field Application of Self-Watering System in Genkai Town, 平成23年度土木学会西部支部研究発表会講演概要集、pp. 563-564, 2012.

菱田敦之：医薬基盤研究所薬用植物資源研究センター北海道研究部栽培研究室－日本における薬用植物の普及とその課題－、和漢薬、No.706,pp. 4-7, 2012.

林茂樹、柴田敏郎：カンゾウの国内生産を目指した栽培と育種に関する取り組み、第5回甘草シンポジウム論文集、pp. 6-13, 2011.

古川全太郎、大嶺聖、安福規之、小林泰三：筒栽培における地盤環境の違いが薬用植物「カンゾウ」の根長・品質に及ぼす影響、第45回地盤工学研究発表会平成22年度発表講演集、pp. 1993-1994, 2010.

Kobayashi, T., Shinkai, A., Yasufuku, N., Omine, K., Marui, A. and Nagafuchi, T.: Field Surveys of Soil Condi-tions in Steppe of Northeastern Mongolia, Journal of Arid Land Studies, Vol. 22, No. 1, pp. 25-28, 2011.

内蒙古沙漠開発研究会：中国の乾燥地における沙漠化の機構解明と動態解析、p. 8, 1989.

遠藤勲、安部征雄、小島紀徳：沙漠工学、森北出版、pp. 9-11, 1998.

吉川展司、伊藤眞：甘草およびその成分（グリチルリチン酸等）について、FFI Journal, Vol. 217, No. 1, 2012.

厚生労働省：日本薬局方十六法改正、pp. 37-42, 1474-1477, 2011.

正山征洋：甘草の主要成分、グリチルリチンに対するモノクローナル抗体の作成とその応用、和光純薬時報、Vol. 75, No. 1, 2007.

地盤工学会編：土質試験の方法と解説 第一回改訂版、p. 221, 2000.

土壌物理研究会編：新編 土壌物理用語事典、養賢堂、pp. 37-38, 2002.

土壌の基礎知識、農林水産省資料、http://www.maff. go.jp/j/seisan/kankyo/hozen_type/h_sehi_kizyun/pdf/ntuti4.pdf,2012年8月閲覧

地盤工学会編：不飽和地盤の挙動と評価、pp. 57-59, p. 71, 2004.

久馬一剛、庄子貞雄、飯塚昭三、服部勉、和田光史、加藤芳朗、和田秀徳、大羽裕、岡島秀夫、高井康雄：新土壌学、pp. 73-76, 113-114, 朝倉書店、1984.

Marui, A., Nagafuchi, T., Shionogi, Y., Yasufuku, N., Omine, K., Kobayashi, T. and Shinkai, A.: Soil Physical Properties to Grow

the Wild Licorice at Semi-arid Area in Mongolia, Journal of Arid Land Studies, Vol. 22, No. 1, pp. 33-36, 2011.
地盤工学会編：地盤工学ハンドブック 第5編第4章 乾燥地・砂漠地域の開発、p. 1521, 1526, 2004.
藤原俊六郎、安西徹郎、加藤哲郎：土壌診断の方法と活用、pp. 94-100, 農文協 , 1996.
地盤工学会編：土質試験基本と手引き 第2回改訂版、pp. 66-69, 丸善 , 2010.
Eisenberg, J., Dan, J. and Koyumdjisky, H.: Relationships Between Moisture Penetration and Salinity In Soils of The Northern Negev (Israel), Geoderma, Vol. 28, pp. 313-344, 1982.
土壌標準分析・測定法委員会編：土壌標準分析・測定法、pp. 155-160, 博友社 , 2003.
山本太平編：乾燥地の土地劣化とその対策、pp. 25-31, 158-170, 古今書院 , 2008.
新城俊也：強熱減量試験による石灰質土のカルシウム含有量の測定、土と基礎、Vol. 51, No. 4, pp. 32-34, 2003.
土壌養分測定法委員会編：土壌養分分析法、pp. 34-38, 184-192, 239-245, 養賢堂 , 1957.
植村誠次：根粒菌と根粒植物、URBAN KUBOTA, No. 14, pp. 22-25, 1977.
Furukawa, Z., Omine, K., Yasufuku, N., Kobayashi, T., Kiyotomo, H. and Shinkai, A.: In-Situ Investigation of Geo-Environment in Arid Land Which Licorice Grows Wildly And A Consideration for Added Value Greening, Proceedings of 4th Japan-Korea Geotechnical Engineering Workshop, pp. 151-154, 2011.
古川全太郎、安福規之、大嶺聖、亀岡廉：砂漠化対策技術の確立に向けた薬用植物「カンゾウ」の生育と地盤内水分・カルシウム環境の関連性の評価方法、第10回環境地盤工学シンポジウム発表論文集、pp. 55-58, 2013

本章の内容に関するお問い合わせは、
安福規之（yasufuku@civil.kyushu-u.ac.jp）または
古川全太郎（z.furukawa@civil.kyushu-u.ac.jp）にご連絡下さい。

第4章

モンゴル高原の先史時代を探る
―青銅器時代板石墓の発掘調査から―

宮本　一夫

はじめに

モンゴル高原は、遊牧文化を育む草原地帯が全面に広がっているように思われるであろう。しかし、実際は、内モンゴルに東西に連なる陰山山脈を越えたところから始まる草原が、まもなくゴビ砂漠によって途絶える。コビ砂漠とは砂礫の砂漠である。コビ砂漠を北に越えるとまもなく再び草原地帯になる。夏の草原地帯は実にさわやかであり、ヒツジやヤギをつれた遊牧民がゲルを張り、夏のキャンプ地を営んでいる。草原地帯を北に向かうとまもなく草原と森林がモザイクをなすハンガイと呼ばれる地帯に移る。そこから次第に丘陵部に向けて森林が増えて行き、まもなく緯度を北にして行くとタイガと呼ばれる森林帯に移って行く。緯度に沿って東西方向に帯をなすように植生のグラデーションが南北に次第に異なって行く。

モンゴル高原とはユーラシアの屋台骨の東側を形成している。陰山山脈からコビ砂漠を北に越えたあたりにアルタイ山脈が東西に連なっている。西は新疆や南シベリアのアルタイ地区から東はコビ砂漠まで東西に延びている。この山脈を境に、水系が南北に分かれて行く。南は内蒙古から華北に向けて、北はシベリアから北極海に向けて川が流れ降っている。また、コビ砂漠からアルタイ山脈を境に古くから漠南と漠北とも呼ばれ、この屋台骨を境に区分されていた。この境は文化の境でもあり、同じ牧畜民を歴史的に引き裂く境でもあったのである。

戦国時代から胡族との国境の防備の要として建設された長城が有名である。現在残されている長城は明代のものであるが、戦国時代の趙や燕の長城、秦の長城はそれよりさらに北に築城されていた。農耕民と牧畜民の境は政治的にも南北上下に移動していた。それは、政治的なまとまりの領域の攻防を意味しているが、一方ではその時々の植生の濃淡、すなわち農耕地が北に広がる場合と牧草地が南に広がるという環境変動とほぼ一致した動きでもあったのである。これから述べるモンゴル青銅器時代とは、将にこの牧草地が南に広がる時期であり、牧畜民達が南に向けて疾駆して農耕民を追い始めていた時期にも当たっている。すなわち、乾燥寒冷化による草原の広がりに加え、騎馬習俗が始まった時期でもある。その時期は中国農耕民の殷代や周代に相当している。

この時期の北方社会は、ユーラシア草原地帯を東西に横断する同一の青銅器文化を享受していた。それはアファナシェヴァ文化に始まり、アンドロノヴァ文化、さらにはカラスク文化やタガール文化に繋がるユーラシア東部の一連の青銅器文化が存在していた。そしてこのユーラシア草原地帯は、漢代に始まるシルクロードの前身として西アジアと東アジアの文化交流の交通路であったのである。その文化交流とは西から東への動きが強く、それらは青銅器や鉄器、さらにはガラス、そしてコムギ・オオムギなどの穀類、さらにはヒツジやウシといった牧畜動物にまでに至っている。一方、ユーラシアの東から西へと文化伝播したものとして、キビの可能性や遊牧民が使った鍑という煮炊き容器の青銅器が挙げられよう。近年では、黒海北岸で栄えたスキタイ文化もその出自がユーラシア東部にあると考えられている（郭物２０１２）。一方で、この草原地帯で独自に開発された文化がある。それが、ウマの家畜であり、さらには車馬であり、騎馬技術であった。

これから述べるのが、カラスク文化からタガール文化というユーラシア草原地帯東部の長城地帯以北に見られる広範な青銅器文化の社会である。それは、西はミヌシンスク盆地やアルタイから始まり、東は遼西や一部遼東にまで至る広範なものであった。その広範な地域で、同一の社会や同一の集団が構成されていたわけではない。カラスク文化やタガール文化と言った同じ青銅器文化を情報としては享受しながら、同時に様式的な斉一性は持ちつつも青銅器の地域性を持っていたように、必ずしもすべての地域社会が同一集団であったわけではないのである。そうした集団がどのように区分され、さらには編成されながら最終的に匈奴という遊牧国家を形成していったかという歴史的な発展過程は未だ明らかにされてはいない。一方で、秦始皇帝が中国農耕社会を統一した時代にあって、遊牧諸族が統合してできたのが匈奴であった。その前身の社会の実態を解明することは、農耕社会の古代国家の形成過程とは異なった歴史的なメカニズムを明らかにすることになる。しかもそれは環境変動に敏感に呼応した動きであったと想像されるのである。とともに、屈強を誇った匈奴ですら、漢の武帝以降はその武力が衰退し、前漢の終わりには漠南の地は事実上漢の支配下に置かれることになる。これが南匈奴である。南匈奴の墓制は、この時期、瞬く間に本来の胡族としての埋葬習俗を失い、葬制という比較的保守的な文化様式ですら、漢様式のものに転化している。一方で、匈奴成立以来の葬制を堅持しているのが漠北地域であり、後漢代併行期の貴族墓には前方後円形の墳丘をもち、竪穴木槨構造からなる墓制が認められる。戦前から知られるノヨン・オール（ノイン・ウラ）や近年調査されたウラン・ゴルがこれにあたる。

このように墓制は、同一の青銅器文化社会にあってその内部での地域集団の単位やその再編の過程を示している可能性があるのである。この青銅器時代にあっては、長城地帯東部の石槨墓、内蒙古中南部の土壙墓、さらに新疆東部の土壙墓、さらにはアルタイ地区の板石墓などが知られている。同時に、モンゴル高原ではヘレクスールや板石墓がこの時期の墓であり、前者から後者への変化が一般的に知られている（宮本２００７）。しかし、その実態や地域間での差異など、地域集団の復原には未だ利用されていないのが現状である。というよりは、墓制の基本的な編年や地域間での関係性などが不明なのが実態である。こうした実態をより現実的に解決するためにも、未だこの時期の墓葬資料の少ない現在にあって、発掘によって新たな基準資料を発見せざるを得ないのである。それが、２００９～２０１１年まで熊本大学考古学研究室とモンゴル科学アカデミー考古学研究所との共同発掘調査、２０１２年以来継続している九州大学考古学研究室とモンゴル科学アカデミー考古学研究所による共同発掘調査の目的である。私は、幸いにもこの両方の発掘調査に参加していることから、これら発掘調査の成果を使いながら、上記した問題の解明に向かいたい。

外モンゴルでの発掘調査

２００９年の発掘調査

２００９年から２０１１年まで、九州大学比較社会文化研究院中橋孝博教授代表による科学研究費基盤研究Ａ「日本列島と大陸との人の交流に関する人類学的研究」の一環として、モンゴルの古人骨と考古学的研究成果から、先史・古代社会民の系統と文化の関係を明らかにすべく、熊本大学考古学研究室を中心に板石墓の発掘調査を行った。調査費も少ないところから、比較的こじんまりした小さな板石墓群を選び、３年間継起的な

図１　ヘンティー県アウラガ博物館

調査を行うこととした。モンゴル科学アカデミー考古研究所との共同調査の仲立ちは、長年モンゴルでモンゴル帝国の副都であるアウラガ遺跡を調査している新潟大学の白石典之教授にお願いした。しかも、慣れない私たちのためにアウラガ遺跡博物館（図１）の宿泊施設を提供して頂いた。白石さんがアウラガ遺跡を発掘調査していると同時期に、我々は板石墓を調査し、朝晩の食事を共にするという快適なものであった。

この調査にあたってまず踏査を行い、アウラガ遺跡周辺の幾つかの板石墓やヘレクスールという青銅器時代の墓地遺跡を見学した後、調査地点として選んだのがヘンティー県ダーラム板石墓地であった。ヘレクスールと板石墓は共に青銅器時代墓であるが、相対的に前者の方が古く、後者の方が新しい段階のものとされている（宮本２００７）。前者はほとんど副葬品がなく、人骨や馬骨がなければほとんど年代決定が不可能である。また、板石墓は副葬品を伴う場合が多いことから遺物の年代推定が可能だが、盗掘を受けている頻度も高い。一方で、ヘレクスールは石を積み上げたクルガン（積石塚）からなり、発掘調

図２　ヘンティー県ダーラム板石墓地

査の手間や時間が板石墓より遥かにかかることが予想された。そこで、発掘調査が比較的短時間で終えることができる板石墓を選ぶこととし、しかも十数基からなる規模の小さい板石墓群であることを対象とした。かつ宿舎にも比較的近い条件のもと、ダーラム遺跡（図2）を選ぶこととしたのである。

２００９年は、ダーラム板石墓地で比較的大型の1号墓と、小型の2号墓を発掘調査することとし、発掘調査は私があたり、熊本大学の小畑弘己准教授（当時）と大坪志子助教はトータルステーションと測量ソフト使って墓地群全体の地形測量を実施することとなった。地形測量の結果、当初発見した墓地以外に、さらに丘陵斜面部（図2）にも板石墓が展開することが判明し、合計20基に及ぶ墓地群であることが判明した。

この墓地群は墓葬構造から大きく3類に分けることができる。いわゆる方形墓ということができるもので、平面方形で比較的低い石積みからなるものがある。私はこれをI式と呼んでいる。I式も、方形区画立石の周りに控え石が施されないＩａ式と、控え石が施されるＩｂ式に分けられる。これに対して、一般的

図３　ダーラム１号板石墓発掘開始状況

な板石墓は、方形の区画立石の中を石で充填するというⅠ式と同じ構造であるが、区画立石の四隅が他の区画立石に比べ高く突出している。これをⅡ式と呼ぶ。この中でも、区画立石の回りに控え石がないものと控え石があるものに分かれる。さらには区画立石が高く発達していくものである。後の分析では、典型的な板石墓がこの順に発達していくことが分かった。このようにして、区画立石の回りに控え石がないⅡａ式、区画立石の回りに控え石が施されるⅡｂ式、さらに区画立石自身が大型化していくⅡｃ式に分けた。初年度では、この内、Ⅱｃ式の1号墓とⅠｂ式の2号墓を発掘することとした。

1号墓は比較的大きなもので、区画立石による平面形は４・２ｍ×４・３ｍと大きなものである（図3）。区画立石も高さ1・0～1・4ｍに達し、ダーラム墓地では唯一Ⅱｃ式である。発掘に際し、後の盗掘である攪乱壙をまず検出し調査した。これにより攪乱の際に墓壙上面にあった蓋石が移動されていたことが判明した。発掘に際しては、四分法という発掘方法を使い平面と断面を観察しながら、攪乱壙や墓壙の切り合い関係を確かめながら発掘することとした。これにより、攪乱を受けてはいながらも、墓葬構造や埋葬方法を確

図４　ダーラム１号板石墓二段墓壙検出状況

認することができた。

攪乱壙を掘りあげた際に、土器片や動物骨が採集された。土器片の一部は東側の区画立石近くから集中して出土しており、おそらく盗掘の際に盗掘壙から東側に向けて土器が掻き出されたものである。それらの土器片はおそらくもともと1個体をなしていた。さらに蓋石を外すことにより、区画立石の内部の空間に方形の墓壙を検出することができた。方形の墓壙内にさらに東西方向に細長い平面舟形の小さな墓壙を発見した（図４）。すなわち、二段墓壙をなし、中央の舟形墓壙は断面が半円形をなす。この舟形墓壙に被葬者が安置されていたと考えられる。また、舟形墓壙は東側が西側に比べやや広く、墓壙内における馬骨などの分布も東側に集中しているところからも、被葬者の頭位は東方向であったと推測される。

このように発掘調査で明らかとなった墓葬構造から、1号墓の墓葬の構築法を復元してみたい。まず比較的緩やかに落ち込んでいく大型の隅丸方形の墓壙を掘り込んだ後、さらに中央に埋葬用に方形の墓壙を掘る。さらにその中央に埋葬者のための舟形の墓壙を掘り込んでいく。いわば二段墓壙が構築される。最後の墓壙は断面が半

図５　ダーラム２号板石墓蓋石出土状況

円形をしておりかつ平面形が舟形をしているところからも、丸太材による木棺が安置されていた可能性がある。木棺であればその中に被葬者が安置されていたことになる。あるいは被葬者が布や毛などの織物で簀巻きにされていた可能性も想定できる。そして、方形墓壙の周りには区画立石を立て並べ、墓の全体を企画する。さらに方形墓壙を埋め、その上面に馬の犠牲が捧げられ、蓋石が置かれた。さらにその上面に土器が供献された。そして区画立石の内部には石が引き詰められ、区画立石の外側にも区画立石を固定するための控えの石が引き詰められたのである。

一方、同じ２００９年に発掘した2号墓（図5）は、1号墓に比べ小型であり、方形の区画立石平面は４・０×２・５ｍを図る。区画立石は方形の平面形で、区画立石の回りには控え石が配置されるＩｂ式である。区画立石の内部には礫石が充填されていたが、ここも基本的には盗掘を受けていた。礫石の下部に置かれていた蓋石が一部動かされていたのである。蓋石の下で土壙を検出したが、その大きさは１・９×１・０ｍと比較的小型である。土壙内部からは、ごく小片の人骨片が発見されたことからも、伸展葬の成人墓であると考えている。

２０１０年の発掘調査

２００９年の発掘調査と同じように8月後半を利用しての発掘である。一面の草原は昨年に比べ雨が少ないせいか背丈が低い気がする。強い紫外線と真昼の高温にはやや疲れるが、その他はまさしく快適な発掘環境である。草原地帯は蚊がいないことも私にとっては魅力であった。モンゴルでの調査以前に沿海州南部で新石器時代遺跡を5年間調査した経験があるが、調査時やキャンプ地での蚊には悩まされたものである。発掘が終わる頃には、蚊に噛まれた顔が赤く腫れ上がったものである。

今年度の調査は、ダーラム墓地で最も大型の４号墓の発掘と、２００９年調査で発見された丘陵部側の第二地点の墓地を選択して発掘することにした。第二地点は基本的にはⅡｂ式板石墓のみであり、この中で比較的残りの良い49号墓が選ばれた。４号墓は私が中心となり、49号墓は熊本大学の小畑弘己さんと大坪志子さんが中心となり、発掘を行った。

４号墓の区画立石平面は8・5ｍ×7・5～6・5ｍとダーラム墓地内では最も大きいものである。区画立石は四隅がやはり突出して高いものであるが、区画立石の回りには控え石を持たない点ではⅡｂ式やⅡｃ式とは異なった板石墓である。このような特徴から4号墓をⅡａ式と呼ぶ。区画立石の内部は人頭大の礫石が充填されていたが、中央部のみが円形に礫石が認められない部分が存在する。これが盗掘坑の跡である（図6）。平面と断面を観察するための畔を任意に残す四分法による発掘を今回も採用した。これによりまずは盗掘坑の範囲

図６　ダーラム４号板石墓表土掘削後の状況

を確認し、盗掘坑を掘りあげることとしたのである。そしてさらに礫石をはずしながら本来の墓壙の範囲を確定し、墓壙を掘り進めることとした。墓壙を掘り進める内に墓壙の北側部分から人骨が出始めたのである（図7）。しかもこの人骨は蓋石の横から検出された。本来蓋石の下に墓壙がありそこに被葬者が安置されているはずであるのに、蓋石の横の墓壙から人骨が検出されたのである。あいにく頭部は盗掘によって既に失われている。盗掘者達は大きな蓋石に当たり掘り進めることができなかったと共に、蓋石側面の人骨の発見と頭骨の採集に満足したのであろう。それ以上の盗掘はなされていない。この点から見ると、これらの盗掘は遺物などを狙った窃盗団という性格ではなく、墓を乱すことに目的があり、その意味で頭部を持ち去ることが最も意味があったのであろう。ここでは、発見された人骨をA人骨と呼ぶことにするが、これは仰臥屈肢葬であり、板石墓ではほとんど認められない埋葬姿勢である。A人骨は女性の老年人骨であった。また、墓壙内から多数の管玉が発見された。白色であり、化学分析の結果、滑石であることが判明した。

図７　ダーラム４号板石墓Ａ号人骨出土状況

発掘期間はすべてで13日間であったが、石造構築物である板石墓の場合、発掘という石を取り除く作業よりは、石の実測に最も時間を要する。さらに今回はＡ人骨の発見と取り上げ、さらには管玉の発見などで時間を使うこととなった。蓋石の撮影や実測を終え、いよいよ蓋石をはずすとなった段階で既に発掘最終日を迎えていた。その日の昼食後、ワイヤーを蓋石に何とか絡みつけ、プルゴンというロシア製のワゴンで引かせることにより、蓋石を剥ぐ作業となる（図８）。ワイヤーが切れれば元も子もなくなるこの作業は、プルゴンの運転手の見せ場であると共に、日本製のランドクルーザーには決してできない作業である。見た目は良くなく足の遅いプルゴンはひときわ力持ちの車である。慎重な作業の結果、ものの見事に蓋石を剥ぐことができた。既に午後3時を回っている。こういう場合、発掘期間を延長して明日1日をかけて慎重に蓋石下の墓壙を発掘したいところである。モンゴル人研究者にこの旨を申し出たところ、明日必ずウランバートルに帰らねばならいと血相を変えている。明後日から別の外国隊との共同発掘調査が始まるという。モン

図８　ダーラム４号板石墓の蓋石除去作業風景

ゴル考古学研究所は遊牧民と同じように、夏場は発掘調査で大忙しである。

もはや引くことはできない。短時間で最大の力を発揮してこの墓壙を掘りあげ、さらに実測や写真撮影を今日中に終えねばならない。しかし、墓壙を掘り始めて直ぐにあの滑石製の管玉が出始める。確認できたものはすべて位置を記録することとする。そして覆土はすべて篩にかけて見過ごした管玉もすべて採集する。さらに管玉以外の赤い瑪瑙かと思わせる小玉も出土してきた。これは後の化学分析で同じ滑石であることが判明した。発掘現場はもはや喧噪の中にある。私の傍らには大坪助教が取り上げた滑石製玉を袋に詰め込み、番号を書き上げていく。そして掘りあげた土は篩にかけられ、見落とした滑石製玉が採集される。流れ作業の中、発掘が進んでいく。

発掘は断面を観察するため墓壙を半分に分け、東側から掘って行くことにした。板石墓は一般的に東頭位であるため、頭部が発見される予想が立つからである。さらに副葬品は頭部側に多いと予想される。相変わらず次から次へと管玉がでる中、墓

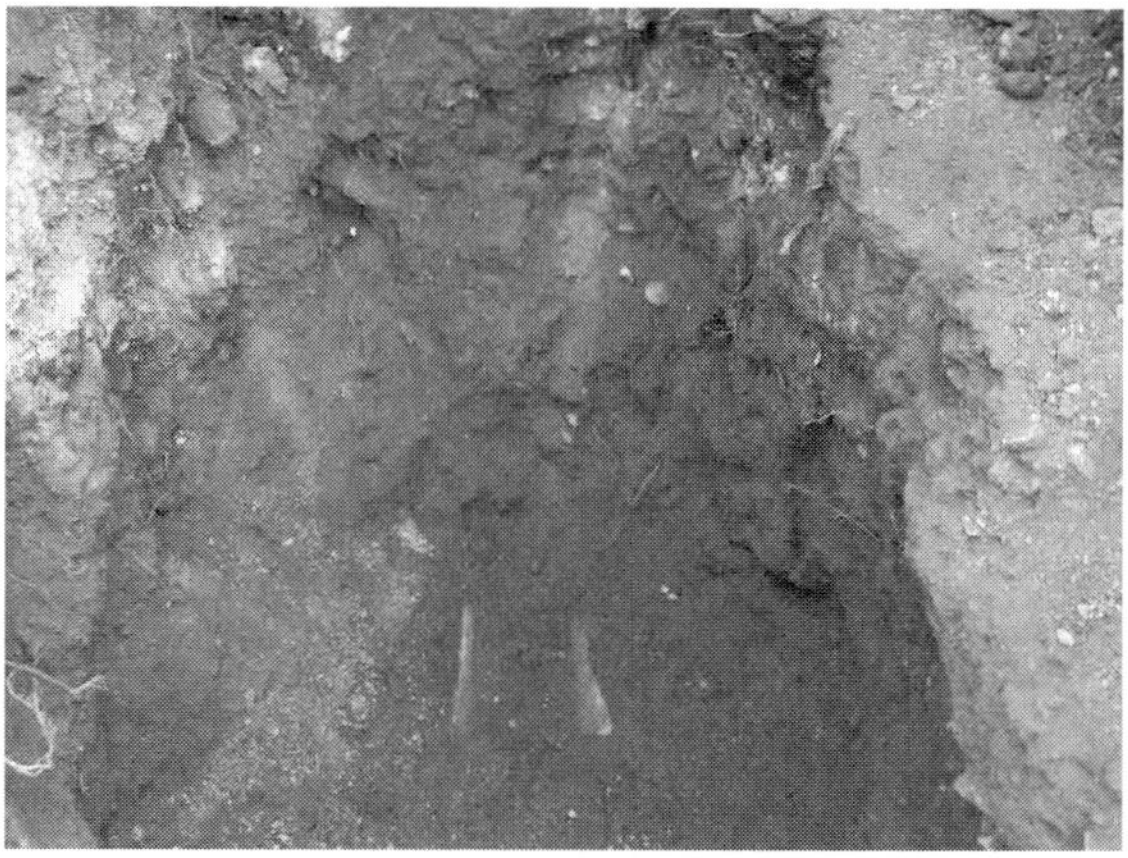

図９　ダーラム４号板石墓主体部土壙内銅泡と脛骨出土状況

壙底部に近づいてきた。左の鎖骨らしきものと椎骨の一部が発見された。しかし頭部はない。頭部側にタバルガンという兎に似た小動物の巣が見つかった。これにやられたのかもしれない。残念ながら人骨の残りは悪い。断面を観察し、実測や写真撮影の後、反対の西側の墓壙を掘り進める。そんな中、墓壙の底部に達さない位置でしかも墓壙の隅に貼り付くように、円形の銅製の飾り金具である銅泡を発見することができた(図９)。途中から移植ごてに換えて時間短縮のためスコップを使って掘っていたのだが、その一振りが墓壙壁直前で止まったのである。青いものが光ったからである。銅泡は固まって3個存在していた。板石墓の発掘で青銅器を発掘できる機会はほとんどない。青銅器があったとしても大半が盗掘にあっているからである。私はラッキーの一語に尽きるが、発見の感慨に浸っている余裕はない。略測の後に下を掘り進めねばならないのである。その時、さらに白いものが目に浮かんだ。篦に換えて慎重に掘り進めるとヒトの大腿骨の一部である。続けて西側を掘っていくと、大腿骨に続く脛骨とその下部の

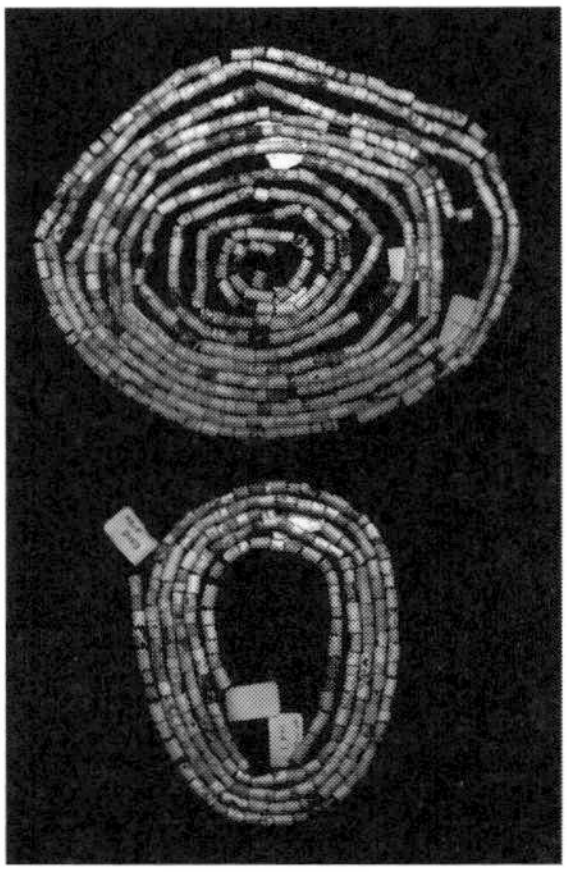

図10　ダーラム４号板石墓出土の滑石玉類（上段：蓋石下部土壙出土、下段：蓋石上部墓壙出土）

腓骨がよく残った状態で検出できた（図9）。さらに足骨の残りも良い。このB人骨は熟年の女性であった。

この時点で、全体を刷毛できれいに砂を掻き出して人骨を露出させ、撮影を行う。既にかなり日が傾いている。写真も限界に近づいている。写真撮影後、素早く人骨の図面を書き上げ、その位置の高さを部位ごとに計り、人骨を取り上げる。既に午後8時が近い。底部をきれいに掘りあげ、最後の写真撮影を行う。日は地平線を落ちようとしている。フラッシュがどこまできくかわからないままシャッターを切っていく。フラッシュはこの場合、墓壙内に影ができて余りよい写真が撮れない。最後にフラッシュなしで、絞りをかなり解放した状態で身を固めて息を止めシャッターを念じながら切る。終わりである。

下部墓壙内の滑石の管玉・小玉は600個以上に達した。上部のものを合わせれば1000個あまりに達する（図10）。これまで外モンゴルの青銅器時代墓で発見された玉類でも、一二を争う玉数である。我々の発掘は大成功であった。しか

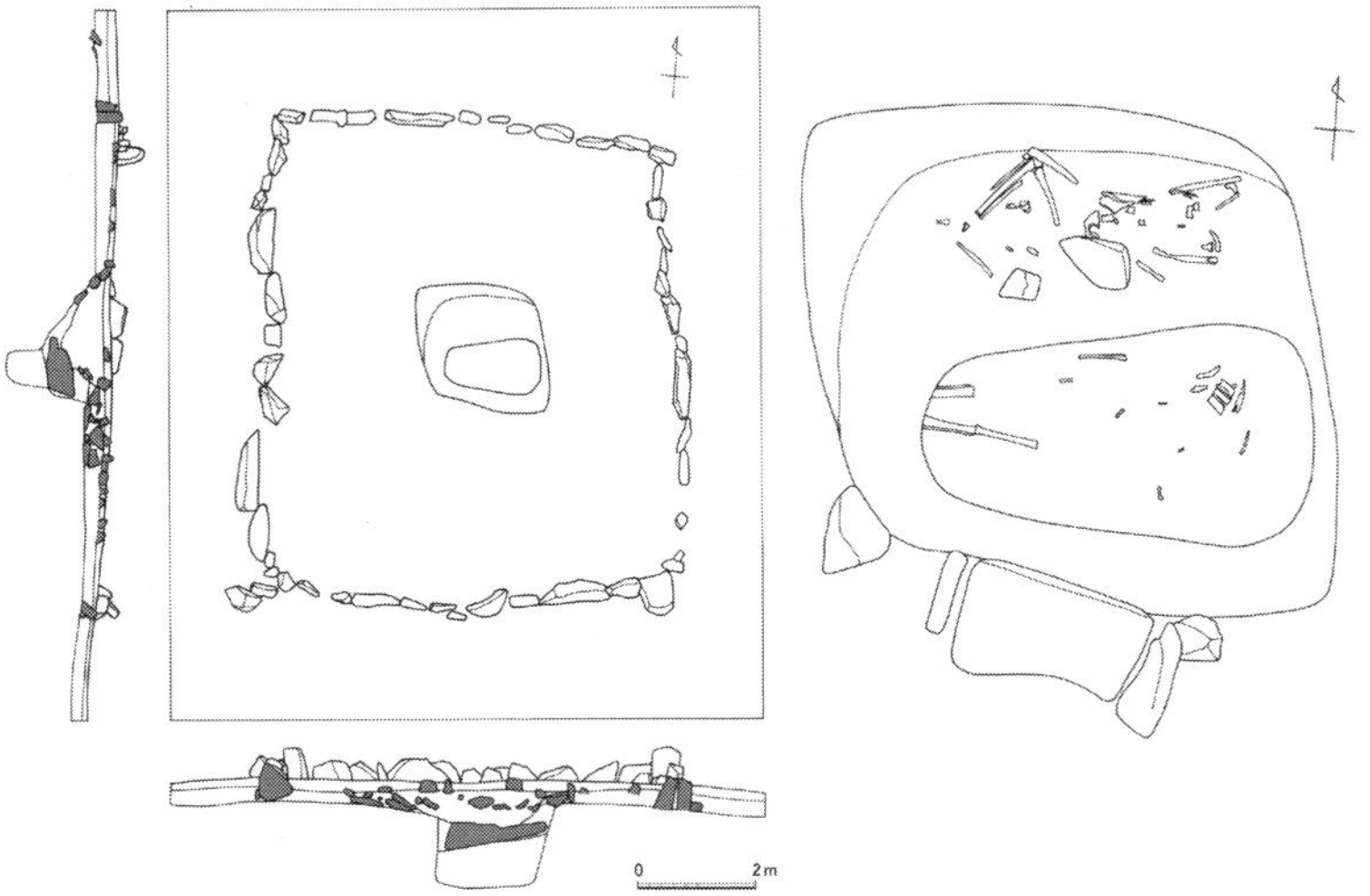

図11　ダーラム４号板石墓の構造と出土人骨

し喜びに浸っているわけにはいかない。最後に墓底をスッコプで掘り返しながら青銅器などの遺物が残っていないかを確かめる。何もない。終わった。私は星空が現れ始めた空を見上げながら、疲れのあまり跪いてしまった。この5時間ほぼ同じ姿勢で休みなく掘りと実測を繰り返し続けていたのである。

我々日本隊は疲れのため先に引き上げることにした。午後8時半ともなるとあたりは真っ暗闇に変わっている。しかしモンゴル隊は学生やアウラガ発掘調査の学生なども総動員し、車のライトを頼りに4号墓の埋め戻しの突貫工事を始めていた。必ず埋め戻して元の状態にしておかなければならない。これが遺跡保護作業の一貫でもあるからである。モンゴルの研究者達が宿舎に帰ってきたのは夜11時を過ぎていた。

Ⅱa式の4号墓は、これまでに知られていない二つの埋葬施設が一つの板石墓に納められた珍しい事例である(図11)。しかも比較的規模の大きい板石墓である。埋葬施設は基本的に二段墓壙になっており、最初の埋葬者であるB人骨は墓壙内に東頭位に埋葬されていた。伸展葬で埋葬された熟年の女性である。墓壙内からは多量の滑石製管玉や小玉が出土しているが、出土位置が墓壙内の一定の位置に固まって出土するわけではない。ダバルガンなどの小動物によって本来の場所が乱された可能性もあるが、遺存している人骨の位置は動いておらず、玉の出土位置もそれほど移動しているわけでもなさそうである。しかも、銅泡の出土位置が被葬者の足下の方向であるが、墓壙の中程の高さの墓壙壁に張り付いた状態で出土していた。ほぼ同じ高さで足下と頭側すなわち墓壙の東西両端で人頭大の礫が発見されている。もともと木棺などが安置され、その上に礫が重しとして置かれていたものが、木棺の崩壊とともにやや下がった位置から出土した可能性も考えられよう。さらに木棺の上には布などがかぶせてあり、その布に滑石製の管玉や小玉あるいは銅泡が縫い付けてあったとすれば、玉や銅泡の出土状況とも一致する可能性がある。あるいは木棺に安置したのではなく、被葬者を簀巻き状に布や毛織物で巻き付け、その布や毛織物にこれらの玉類が装飾として取り付けられていた可能性もあろう。そして、それらを固定するために両脇に礫が置かれ、大きな蓋石を墓壙上面に被せることによって埋葬が完了した可能性が考えられる。

さらに、蓋石の上にも管玉が取り付いた布や毛織物が被せてあったため、蓋石の上面の墓壙内からも多量の管玉が発見されたといえる。そした墓壙内を土で充填し、区画立石で囲まれた空間に石を充填することにより、墓葬は完成したのであろう。この石を充填する際には青銅器を研ぐための砥石なども供えられている。あるいはウマなどの動物犠牲が供えられている。その後、ある段階に墓葬の中心部で蓋石よりやや北側の地点を掘り直し、老年女性を埋葬している。A・B人骨のC14年代は約300年の差があり、両者に直接の関係はないが、

図12　ダーラム８号板石墓蓋石出土状況

同じ地点に埋葬することには何らかの意味が存在していたであろう。ともかく、熟年女性であるB人骨を埋葬するための４号墓は、副葬品に銅泡と多量の滑石製管玉・小玉といった豊富な副葬品を持っており、副葬品の内容からも被葬者個人が特定の社会階層差を示すものであり、集団内での格差が進行した段階であると考えられる。また、副葬品が装身具だけであるのは女性という性別に基づいた副葬品構成である可能性がある。なお、後に詳述するが、C14年代からは紀元前8～7世紀段階に当たり、この地域にも騎馬習慣が広がった段階と考えられており、その段階に社会的格差が進行していたことが分かるのである。

このほか、第2地点の41号墓はⅡb式の板石墓であり、区画立石平面は４・４ｍ×３・４ｍを計る。四隅が高い区画立石の外側には控え石が配置され、区画立石内にも礫が充填されるものである。礫の下には蓋石があり、さらにその下に墓壙がある。41号墓は検出された歯牙から幼児の墓であることが判明し、埋葬に際し馬の下顎骨があるなど、動物犠牲が行われていることが判明した。さらに、調査期間に余裕があったところから、熊本大学の小畑・大坪チームは第

図13　ダーラム９号板石墓表土掘削後の状況

1地点の同じくⅡb式の8号墓を調査した。区画立石平面は3・5m×2・7mであり、板石墓の中心はすでに盗掘を受けており、蓋石が動かされていた（図12）。蓋石は3枚からなり、墓壙上面に3枚の蓋石が墓壙長軸に直行するようにして敷き並べられていたはずである。蓋石の下部には1・1m×0・7mの墓壙で、おそらくは成人が埋葬されていたのであろう。副葬品としては土器片とトルコ石製小玉が発見されている。

２０１１年の発掘調査

この年の調査は、最終年度であり、さらに経費と期間が限られているところから、比較的小型の墓葬を1基のみ発掘することとして、私と熊本大学の大坪志子助教が発掘に参加した。この年は雨が多かったせいか、草原の草丈がいつもより高かい。草原も年々変化しているのである。発掘そのものは4日間のみを当てるものであった。そこで、これまで発掘したことのない型式である9号墓を発掘した（図13）。発掘前は全体の形が不確かであったが、発掘によって区画立石が方形をなす方形墓のⅠ式であることが判明した。方形の区画立石は四隅が突出しないタイプであり、区画立石の周りに控え石があり、一部は既に除去されているものと思われる。典型的なⅠb式である。方形区画立石の平面形は、４・７ｍ×３・８ｍをなす。明確な蓋石はなく、比較的大きな板石を墓壙直上に積み上げていた。墓壙は１・３ｍ×０・５ｍと小さく、幼児か比較的小柄な女性が被葬者である可能性がある。墓壙内からは馬の肩甲骨のみの動物犠牲が発見された。この馬の肩甲骨のコラーゲンから年代測定をした結果、896-806calBCという年代値が測定され、紀元前9世紀のものであることが判明した。ダーラム墓地では最も古い板石墓である。

２０１２年の発掘調査

板石墓調査を継続するため、九州大学教育研究プログラム・研究拠点形成プロジェクト（Ｐ＆Ｐ）「モンゴル高原における古代牧畜民の移住と集団再編に関する総合的研究」（代表宮本一夫）を申請し、九州大学人文科学研究院考古学研究室を中心に調査を行うこととした。カウンターパートはこれまでと変わらないモンゴル科学アカデミーのツォクトバータル研究員やアマルガントゥグス研究員らである。九州大学からは大学院生を含め5名、モンゴル科学アカデミー考古学研究所から研究員2名、モンゴル大学らの学生5名、そして運転手、コックなどの総勢20名近くの学術調査隊が組織された。そして、テントでの寝泊まりの生活が始まった。

今回の調査では、板石墓の中でも位置づけが定まっていない撥形墓を調査したいと考えていた。撥形墓はⅢ式板石墓と呼ぶことができるものである。しかし、それにふさわしい遺跡が直ぐに見つかるわけではなく、まず遺跡踏査をして調査地を決めることから始めないといけない。調査対象地をウランバートル西方であるモン

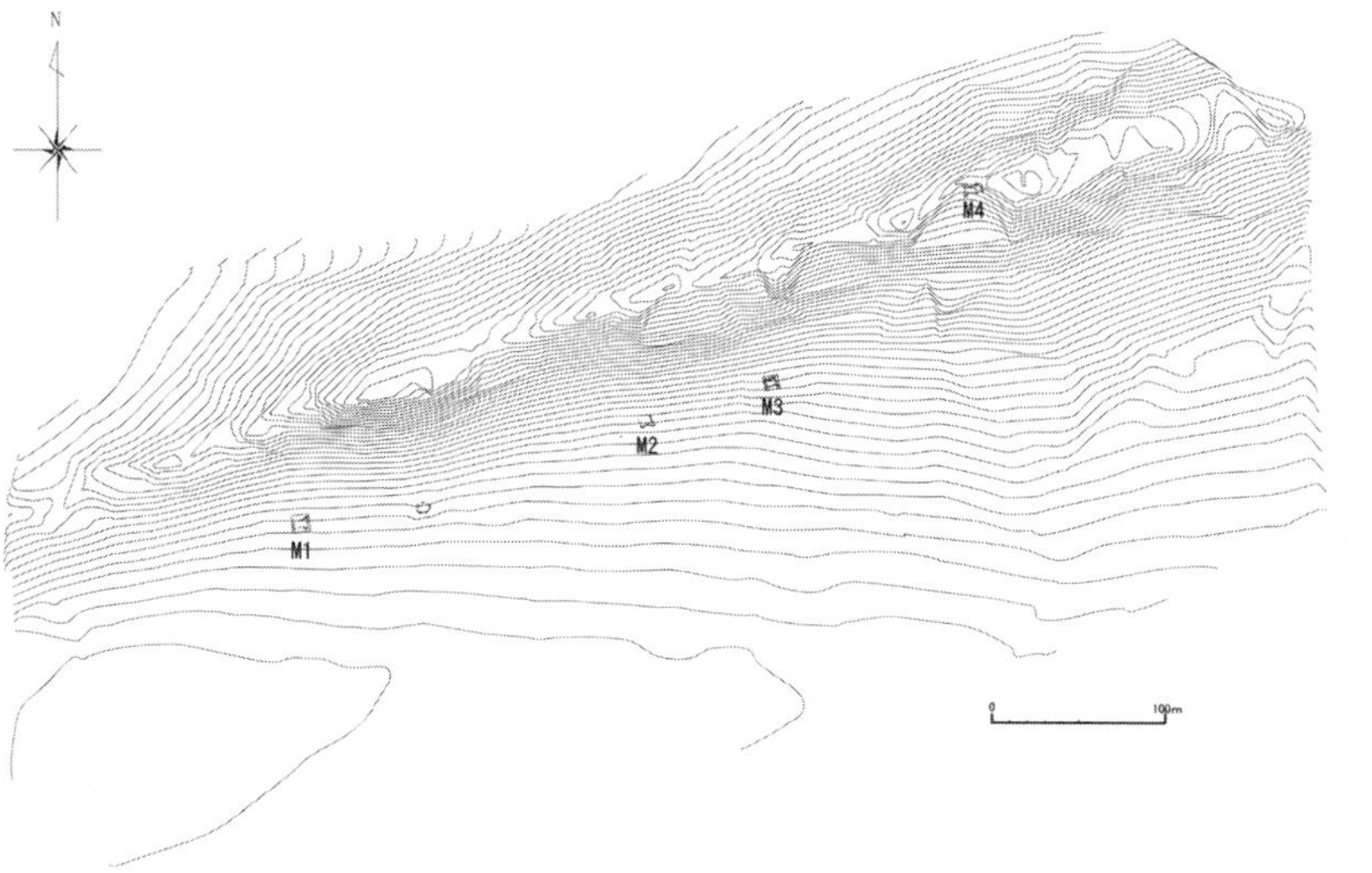

図14　テブシ撥形墓地

ゴル中部のウブルハンガイ県やアルハンガイ県とし、数遺跡を観察した後、ウブルハンガイ県テブシ村のテブシ遺跡に達していた。踏査を初めて4日目であり、残りの発掘調査の日程を考えるとここを調査地とせざるを得ない状況にあった。ここでは既に調査された撥形墓は存在していたが、当初はその他の撥形墓を発見することができず、多数のヘレクスールの間に方形墓を見つけるのが関の山であった。しかし、ここにベースキャンプを貼り、調査地とすることとした。その翌日、もう一度遺跡を歩き始めると、昨日気付かなかった別の方形墓を発見することができた。さらに詳しく見ると撥形墓の可能性が高い。そして周辺にはもう一つの撥形墓を発掘することができた。実は最終的にこの周辺で合計4基の撥形墓が見つかり、しかもそれらはほぼ一直線上に並んでいる（図14）。このような配置は撥形墓の特徴であり、その後、別の遺跡でも同じ状況を確認している。

　これら4基の撥形墓の中で西側の道路に面しており、

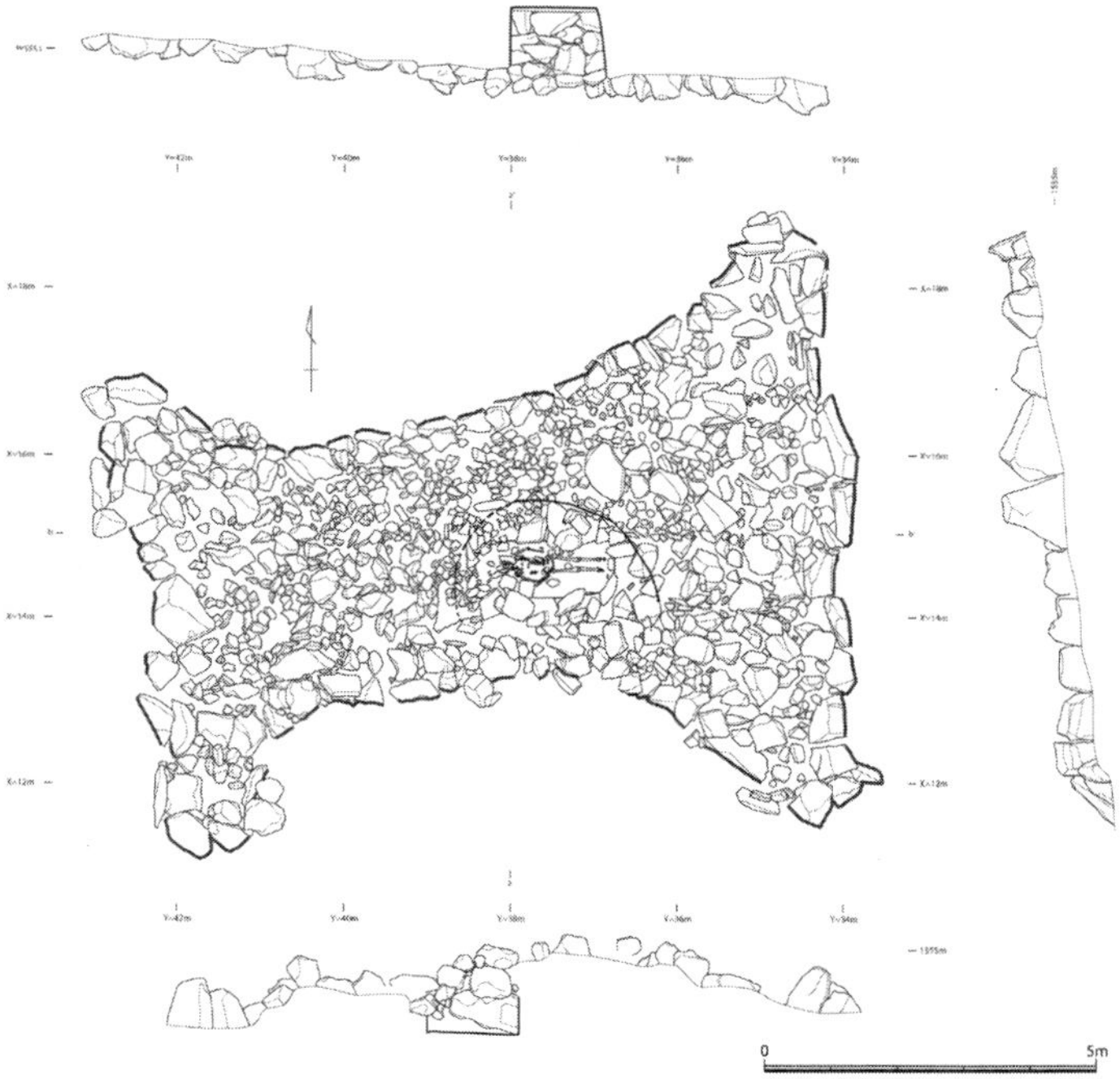

図15　テブシ１号撥形墓

比較的大きな1号墓をまず発掘することとした（図15）。区画立石平面の大きさで言うと、長さ8・5m、最大幅7・0mの比較的大きな板石墓である。区画立石の回りを掘り始めると、それらはすべて区画立石の内側に積まれていたものが、区画立石外に落ち込んだものであることが判明した。そうした本来の石の位置にないものを取り除いていくと、きれいな区画立石の輪郭が出てくる。撥形墓はもともとロシア人学者が弧を描いて屈曲する墓と呼び、それを翻訳したモンゴル人学者はその形がアリの頭の形に似ているところからアリ形墓と呼んだ。これらの名前では日本語としてわかりにくいので、平面形が撥の形に似ているところから、撥形墓と呼ぶことにしたい。この1号墓

図16　テブシ１号撥形墓の被葬者

も平面形がきれいな撥形を呈した区画立石で囲まれており、四隅が突出気味に張り出している。弥生時代の山陰や北陸には四隅突出型墓という墓が存在するが、それに近い形態である。区画立石で取り囲まれその形態が撥のように長側が内湾する形態であり、１号墓は基本的に撥形墓の範疇に入るものである。

１号墓の礫マウンドを四分法により掘り進めると、地面に達しない礫内部から人骨を発見することとなった。普通、撥形墓を含む板石墓は地表下に土壙をもち、そこにヒトが埋葬され、上部を石で覆い、板石墓を構築する。これに対し青銅器時代の別の墓であるヘレクスールは、地上に石槨や石棺を配置し、ヒトを埋葬してから礫を積み上げ積石塚（クルガン）を形成する。その点で、１号墓はヘレクスールに近い埋葬方式を呈していた。明確な石槨ではないが、石で囲んだ中に頭位を西側にして伸展葬で埋葬されていた(図16)。伸展葬で西側頭位もヘレクスール的特徴を示している。なお、１号墓では副葬品は全く発見されなかった。この点は、撥形墓が比較的古い可能性を暗示している。発見された人骨はほぼ完全な個体であり、熟年女性であった。副葬品はないがほぼ完全な人骨は、我々の調査

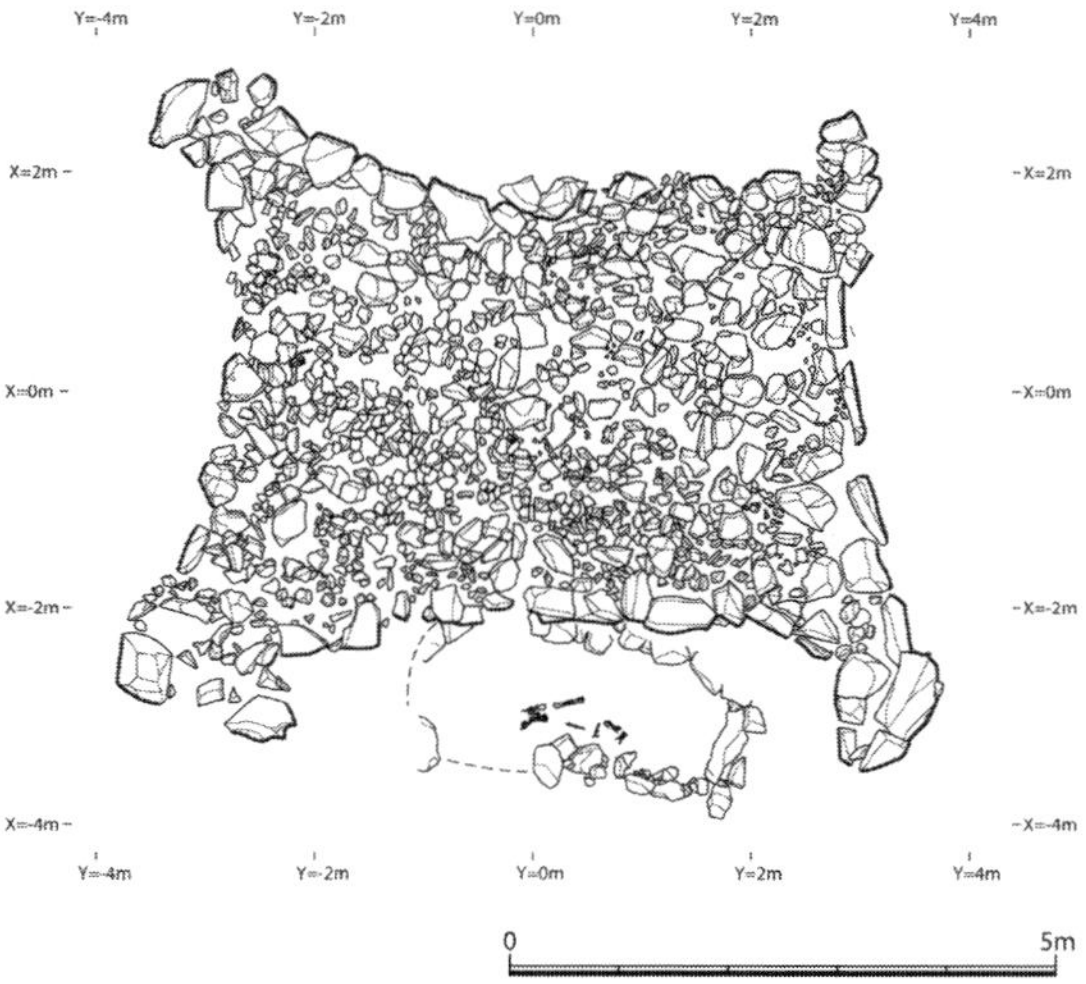

図17　テブシ３号撥形墓

にとって様々な情報をもたらしてくれる。発掘は成功したと言って良い。

1号墓が終了する頃、調査期間としてはあまりなかったが、一般的な撥形墓が存在するはずだという予想の元に、もう1基撥形墓を掘ることにした。モンゴル側研究者は調査期間を気にして渋っていたが、小型の撥形墓を選ぶことで同意してもらった。それが3号墓である（図17）。長さ6・5m、幅6・0mと1号墓に比べ小振りである。その分、四隅の突出が顕著にも見える。1号墓と同じように、区画立石をきれいに出してから、区画立石内部を四分法によって礫石を取り除いていくと、1号墓と異なり地表面に達し、そこに墓壙が検出された。

墓壙は、ダラーム4号墓と同じように半裁して断面を確かめながら掘った。断面観察や墓壙内部の大型礫の落ち込み具合からは、本来墓壙内に空洞があり、その後その空洞部分に土砂や礫がなだれ落ちたと判断されたのである。墓壙底部には人骨が東頭位に安置されていた（図

図18　テブシ３号撥形墓の被葬者

18）。その空洞とは木棺か織物で被葬者が簀巻き状態であったのかどちらかであろうが、有機物が朽ち果てて土砂が流れ込んだものと判断される。また、人骨は俯せ状態で検出されているが、こうした姿は撥形墓ではよく見られるものである。東頭位で土壙からなる点は、ダーラム墓地で見てきた板石墓と同じ特徴であるが、俯せ葬は撥形墓の特徴的な葬法である。人骨は熟年男性であった。

その後の調査で、この3号墓の南に、3号墓構築後に付属して埋葬が行われていたことが明らかとなった（図17）。大腿骨や脛骨しか残っていなかったが、頭位は同じく東向きをなすものである。3号墓と何らかの関係を持って、付加的に埋葬されたものと考えられるが、板石墓においては珍しい発見例である。この人骨は成年男性であった。

板石墓の位置付け

この4年間のダーラム墓地とテブシ墓地の調査から、板石墓の主な墓葬型式をすべて発掘することができた。Ⅰ式のダーラム9号墓、

Ⅱ式のダーラム1・2・4・8・41号墓、Ⅲ式のテブシ1・3号墓である。実はこれらのⅠ式からⅢ式の分類は、おおむね既にロシア人学者によって提唱されてきたものを、改めて採用したものである。

その最も古い分類は20世紀前半に始まっており、ロシア人学者のソスノフスキーによってなされた。既に20世紀初頭から、トランスバイカルを中心に板石墓の発掘調査が進んでいたためである。1類が方形の区画立石でその中が礫石で充填されるものである。2類は1類と同じように方形の区画立石で囲まれるものであるが、区画立石の四隅が起立して他の区画立石より高くなっている。これに対し、3類はテブシ板石墓の発掘調査でも述べてきたように、区画立石の長側壁が内側に湾曲するものであり、撥形墓と呼ぶものである。後に20世紀の終わりにおいても旧ソ連邦の考古学者であったツヴィキタロウは、ソスノフスキーの分類をほぼ踏襲し、名前を変えて1類をチルルト期、2類をアッツァイ期と呼び、さらに3類である撥形墓を分類している。この内、チルルト期からアッツァイ期への変化を想定している（Цыбиктаров 1998, Cybiktarov 2003）。また、出土遺物の年代観から前者が紀元前13～8世紀、後者が紀元前8～6世紀と位置付けている。ここで言うⅠ式がソスノフスキーの1式に、Ⅱ式が2式に、Ⅲ式が3式に概ね該当している。

Ⅰ式は区画立石の形態や区画立石の外部の控え石の存在から2類に細分することができる。Ⅰa式は区画立石平面が方形に近く区画立石の外部に控え石が配置されないもの。Ⅰb式は区画立石平面が長方形で、区画立石の外部に控え石を持つものである。Ⅰb式がダーラム9号墓に相当し、人骨の年代から紀元前9世紀に位置付けうる。これに対し、Ⅰa式はこれまでの調査で発掘されていないが、モンゴル科学アカデミー考古研究所がゴビ・アルタイ県ウランボム墓地の調査で明らかにした19号墓がこれにあたり、その人骨の年代測定値は

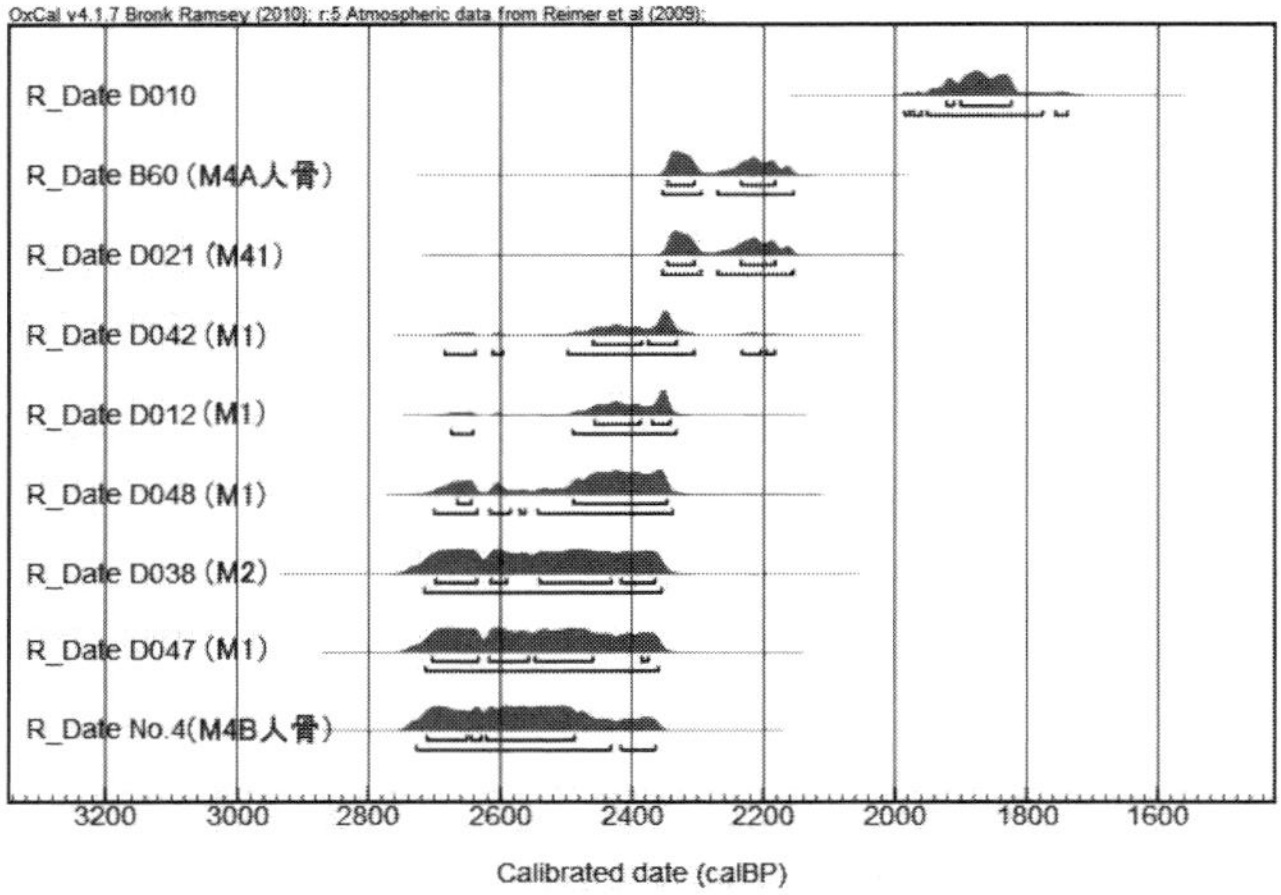

図19　ダーラム板石墓の炭素14年代測定較正値

1319BC－1191BC（88.1%, 2sigma）であり、紀元前13～12世紀にあたる（Амартувшин 2010）。

一方にII式はツヴィキタロウフが相対的にI式より新しいとしたように、ダーラム板石墓地の人骨や動物骨の年代測定値は紀元前8世紀以降の新しいものである。これらの測定値を並べたものが図19である。2400年問題と呼ばれているように樹輪較正値の値がかなり幅広く広がっている。嘗てC14年代測定値は何時の時代でも大気中のC14濃度は一定であるという前提の基にその半減期によって測定されていたが、太陽の黒点現象すなわち古気候の変化に関連して大気中のC14濃度に変化があり、測定に誤差が生じることが明らかになっている。そのため、樹輪年代をもとにC14年代測定値を較正するための統計処理が行われる。それが較正曲線と呼ばれるもので、これを基にC14年代測定値の誤差を差し引いていくのである。これが較正値である。この較正値が幅広い問題の時期がダーラム板石墓地の時代である。このなかでも、相対的に較正値幅が短い数値がダーラム1号墓にみられ、紀元前

5～4世紀に位置付けられる。一方で、較正値幅が幅広いが、その中でも確率的に左の方に触れているのが、ダーラム4号B人骨であり、紀元前8～7世紀に相当している。これがダーラム4号墓の埋葬時期である。一方で、ダーラム2号墓は紀元前8～4世紀までの広い幅の較正値にあり、年代が絞れないが、Ⅰb式という墓葬型式から見れば紀元前8～6世紀代に納まるものであろう。また、4号墓に追葬されたA人骨と41号墓は紀元前4～3世紀の年代を示している。したがって、B人骨とA人骨には直接の関係はないことになる。

このような実年代関係が判明したことにより、Ⅰb式のダーラム9号墓が紀元前9世紀であり、同じくⅠb式の2号墓は紀元前8～6世紀まで存続しよう。Ⅱa式の4号墓は紀元前8～7世紀に出現し、さらにⅡc式の1号墓が紀元前5～4世紀に出現する。そしてⅡb式は41号墓に認められるように紀元前4～3世紀にも存続している。おそらくⅡb式もⅡc式の紀元前5～4世紀以前の紀元前6世紀には出現し、紀元前4～3世紀まで続くであろうが、ダーラム墓地では確かめることができなかった。

Ⅲ式である撥形墓のテブシ1・3号墓は平面形態から細分できる。平面が方形に近く四隅の突出部が発達した3号墓がⅢa式であり、平面形が長方形で四隅の突出が比較的緩やかな1号墓がⅢb式である。Ⅲa式の3号墓の人骨の測定年代は1392－1264calBC（95・4％）であり、紀元前14～13世紀の年代を示す。一方、Ⅲb式である1号墓の人骨の測定年代は901－812calBC（95・4％）で、紀元前9世紀の年代を示している。被葬者の年代からしてⅢa式からⅢb式という変化を推定することができる。このⅢa式からⅢb式の変化は、平面方形から長方形という変化であり、こうした平面形の推移はⅠ式においてもⅠa式からⅠb式において認められ、両者にはほぼ同時期における様式的な類似性を見せている。

モンゴル青銅器時代と板石墓

モンゴル青銅器時代の墓制は、大きくヘレクスールと板石墓からなる。ヘレクスールとは、ケルンとそれを囲んで方形ないし円形の囲い込み列石とそこにウマの頭部と蹄からなる犠牲を坑に納めた石堆が配置されるものである。ケルンの内部には箱式石棺や石槨が配置され、被葬者が安置されるが、普通は副葬品はない。ヘレクスールには鹿石が伴う場合が多く、鹿石にはカラスク銅剣が描かれていることからも、ヘレクスールがカラスク文化段階の墓であることは容易に理解される。また、このことはC14年代測定においてもほぼ妥当とされている（宮本２００７）。これに対して、板石墓は今まで述べてきたように、副葬品や副葬用の土器を持っている場合が多い。ロシア人考古学者ツヴェキタロウによれば、ヘレクスールはモンゴル西部に主に分布し、板石墓はモンゴル東部に分布し、モンゴル中部では両者の分布が重なるという（Цыбиктаров 1998, Cybiktarov 2003）。また、年代的にはヘレクスールが古く、相対的に板石墓が新しい段階のものであると言われてきた。我々のこれまでの調査では、板石墓の古いものはヘレクスールとは年代的に重なってきているが、遅くとも8世紀以降は板石墓のみの段階となっている。それと共にその段階から副葬品が一般化し、板石墓の被葬者の社会的な優位性や裕福さのようなものがより明白になっていく。いわば社会の個人間の格差が表出されていく段階である。但し、ヘレクスールにしろ板石墓にしろ、その出現経緯や系譜関係あるいは消滅過程が明白ではない。特に板石墓の消滅過程は、匈奴の出現と一致する可能性があるが、板石墓社会がどのようにして匈奴に編入されていったかが重要な課題である。しかし、この問題については今のところよく分っていないのが実情である。

さて、これまでのダーラム板石墓やテブシ撥形墓の分析によって、板石墓の分類や年代関係について、既に実年代を示したように、私なりの考え方を示すことができるようになってきている（Миямото 2013）。基本的にはソスノフスキーやツヴィキタロウの分類と同じであるが、分類単位が組列をなして変化していくと考えるのである。すなわち三つの分類は年代軸における年代単位を示すのではなく、ある一定の構造に基づく分類単位であり、その三つがある時期には並行して存在するような型式組列の単位であり、いわゆる形式を構成するものであると認識している。このような板石墓の編年は図20に示したところである。

Ⅰ式はソスノフスキーの1類に相当するが、方形の区画立石からなる方形墓の系譜である。さらに細分すると、区画立石の平面形が正方形ないし正方形に近い方形をなし、区画立石の回りに控え石を持たないものをⅠa式と分類する。さらに、区画立石平面が長方形化し、さらに区画立石の回りに控え石を持つものをⅠb式とする。Ⅰ式の下部構造は基本的に土壙であり、東頭位の伸展葬である。既に年代関係を述べたように、Ⅰa式からⅠb式への変化を考えることができる。Ⅰa式は紀元前2千年紀後葉には出現しており、ヘレクスールと同じ段階に存在している。一方、Ⅰb式はダーラム9号墓の例のように紀元前9世紀段階には出現している。また、近年発掘調査されたタワン・ハイラースト第3地点1号墓（白石編２０１３）もこの型式に属し、その較正年代は紀元前9世紀後半である。

一方、Ⅲ式とした撥形墓も、ほぼ同じ時期に並行して存在している。テブシ3号墓のように比較的方形に近く四隅の突出があまり発達しないものをⅢa式とする。さらにテブシ1号墓のように、区画立石の平面形が長

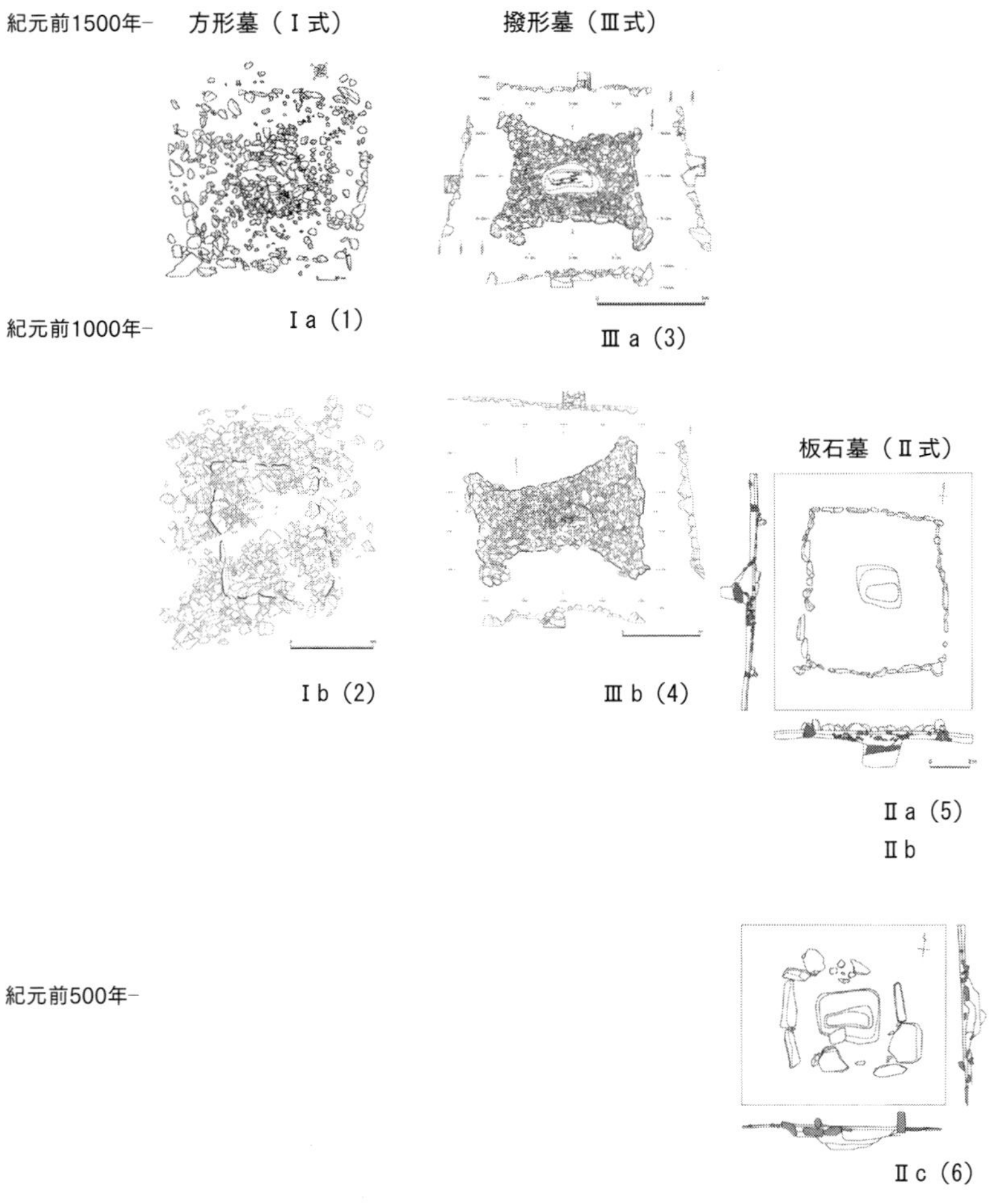

図20　モンゴル板石墓の編年図

（1ウランボム19号墓、2ダーラム9号墓、3テブシ3号墓、4デブシ1号墓、
5ダーラム4号墓、6ダーラム1号墓）

方形化し、四隅の突出が明確なものをⅢb式とする。Ⅲa式はやはり紀元前2千年紀後葉の紀元前14～13世紀には出現しており、Ⅲb式は紀元前10～9世紀のものである。撥形墓の場合は区画立石の回りに控え石を持たず、さらに下部構造は土壙であるが、東頭位の俯せ墓である場合が多い。

さらにⅢ式の区画立石の突出部とⅠ式の方形墓が折衷するようにして、Ⅱ式が生まれる。その重要な特徴は、区画立石の四隅が隆起することにある。この四隅を強調した構造は、Ⅲ式の四隅の突出部と関連があるものと考えている。Ⅱ式が板石墓中最も主体を占めるものであると共に、年代も比較的新しい段階に主体を持つものである。四隅石が若干隆起し、区画立石内部は礫石で充填されるものである。これをⅡa式と呼ぶ。Ⅱa式の下部構造は、土壙であるが土壙の上部に1枚の大きな蓋石を持つところも、これまでのⅠ式やⅢ式とは異なっている。さらに、四隅石の隆起が明確であり、方形の区画立石の回りに控え石を持つものがⅡb式である。Ⅱb式の場合も下部構造の土壙の上部に蓋石を持つが、それが2枚や3枚と複数になっている。さらに、区画立石自身が発達し比較的高いものがⅡc式であり、一方で内部の礫石の充填は比較的低い位置で終わっている。Ⅱb式が発達していったものがⅡc式であると想定されるのである。下部構造もより発達し、二段墓壙をなす。墓壙上面の蓋石も3枚以上からなるものである。Ⅱa式→Ⅱb式→Ⅱc式という変化が考えられる。Ⅱa式は紀元前8～7世紀に出現し、Ⅱb式とⅡc式は紀元前5～4世紀には相次いで出現する。Ⅱc式の方がより発達したものであり、二段墓壙という下部構造の丁寧さからも、時間軸との関係もあるが、社会的な水平関係すなわち社会的身分差をも示す段階と位置付けうる。

おわりに

これまでの一連の調査で、モンゴル中部から東部に広がる板石墓が、青銅器時代前半期紀元前14～10世紀のカラスク文化期から存在していることが明らかとなった。紀元前2千年紀後半には出現しており、同時期のヘレクスールという別の墓制と共存していた可能性がある。ヘレクスールはモンゴル高原西部を中心に分布するものであり、こうした異なる墓制が分布をやや異にしながら同時期に存在していることは、別の社会集団として共存していた可能性が考えられよう。しかも、同じ板石墓とした中にも、既にこの段階にⅠ式とⅢ式が存在しており、板石墓の中にもさらに二つの系統の集団が存在している可能性がある。しかし、この二つの墓制の分布差は今のところ明確ではなく、さらなる調査が必要である。

Ⅰ式とⅢ式が結合するような形でⅡ式が生まれる。それはほぼ紀元前8～7世紀頃のことである。その最も古いものがⅡa式のダーラム4号墓である。これはタガール文化期に相当しているとともに、気候変動期に相当している。モンゴル高原の西端に接するサヤン・アルタイ山脈の南シベリアでの古環境変動の分析成果ではあるが、紀元前850年頃を契機に、それまでのカラスク文化期に見られたやや湿潤な半乾燥期から寒冷乾燥化による草原化する段階に移向する。そして草原化を契機に騎馬習俗の一般化と共に牧畜への集約化すなわち遊牧化への変化が見られるとする（B. van Geel et.al 2004）。この環境変動期にモンゴル高原中部から東部にかけてはⅡ式板石墓が出現するのである。それは新たな騎馬社会の出現による新たな墓制の確立期であったかもしれない。

Ⅲ式板石墓のテブシ3号・1号人骨は男女ともに大腿骨中央周骨が同時代の中国農耕社会民より遥かに大きいものである。遺伝形質の可能性もあるが、大腿骨中央周骨の過度な大きさが下肢への労働負担によるものと仮定すれば、長期の歩行や重量物の運搬に関わる歩行の負荷が想定される。すなわち、歩行による移動という牧畜社会の生業から生まれた形質的な特徴の可能性がある。一方、ダーラム4号墓B人骨は中国農耕社会民と同じものでありながら、A人骨はやはり大腿骨中央周がかなり多きいものである。これは、社会的労働格差が生まれたことを意味するかもしれない。一部の人は加重な労働負担を免れるような格差社会の到来を意味する可能性がある。これは4号墓の副葬品の多さからも傍証することが可能であるかもしれない。しかしもう一つの原因は、騎馬による歩行労働が減少したことによる形質変化の可能性がある。今後、古人骨の形質的研究からも騎馬の始まりを特定してゆく必要性がある。

このように青銅器時代後期あるいは初期鉄器時代であるタガール文化期には、牧畜社会において社会的な格差が生まれていく段階である。その点でⅡc式は社会的上位者の可能性のある墓である。Ⅱa式↓Ⅱb式↓Ⅱc式の変化は、時間軸の変化でもあるが、後半の変化は社会的水平区分の差異をも示している可能性があろう。これが、板石墓Ⅰ・Ⅲ式では単体墓で存在していたものから、Ⅱ式における集団墓化することと何らかの関係があるかもしれない。すなわち個人間の格差と共に集団間での格差が示される段階でもある。

このような板石墓Ⅱ式の時代は、陰山山脈以南の内蒙古中南部ではオルドス青銅器文化が生まれ、その東である遼西では夏家店上層文化が存在している。牧畜社会に基づく固有の青銅器社会集団が並立する段階である。

おそらくは、この中でも中原農耕社会との接触が最も頻繁であったオルドス青銅器社会を中心として部族連合が果たされ、前２００年頃には匈奴遊牧国家が成立するに至る（宮本２０１４）。この板石墓Ⅱ式がどのようにして匈奴墓に転換していくのかも今後の課題である。

発掘調査は２０１２年夏にも実施し、新たな事実が判明した。今後もモンゴル高原での調査を続けていく予定であり、ユーラシア東部における青銅器文化社会の実態が解明されることが期待される。

参考文献

郭物２０１２「欧亜草原東部的考古発現与斯基泰的早期歴史文化」『考古』２０１２年第４期、56－69頁

白石典之編２０１３『イフハイラント・タワンハイラースト　日本・モンゴル共同発掘調査「新世紀プロジェクト」２０１２年調査報告』新潟大学・モンゴル科学アカデミー考古学研究所

宮本一夫２００７「漢と匈奴の国家形成と周辺地域－農耕社会と遊牧社会の成立－」『九州大学21世紀ＣＯＥプログラム「東アジアと日本：交流と変容」統括ワークショップ報告書』、１１１－１２１頁

宮本一夫２０１４「北方系帯飾板の出現と展開」『ユーラシアの考古学』35－48頁、六一書房

Амартувшин Ч., Алдармөнх П. 2010 Улаанбоомын хүрэл зэвсгийн үеийн дурсгал. *АРХЕОЛОГЙН СҮДЛАЛ* 1-21, pp. 61-93, үлаанбаатар

Cybiktarov A. D. 2003 Central Asia in the Bronze and Early Iron Ages (Problems of Ethno-Cultural History of Mongolia and the Southern Trans-Baikal Region in the Middle 2nd – Early 1st Millennia BC). *Archaeology, Ethnology & Anthropology of Eurasia* 1 (13), pp. 80-96.

Цыбиктаров А. Д. 1998 *КУПЬТУРА ПЛИТОЧНЫХ МОГИЛ МОНГОЛИИ И ЗАБАЙКАЛЬЯ*, Улан-Уде.

Geel B. van, Bokovenko N. A., Burova N. D., Chugunov K. V., Dergachev V. A., Dirksen V. G., Kulkova M., Naglef A., Parzinger H., Plicht J. van der, Vasiliev S. S., Zaitseva G. I. 2004 Climate change and the expansion of the Scythian culture after 850 BC: a hypothesis, *Journal of Archeological Science* 31.pp. 1735-1742.

Миямото Казуо 2013 Социальные изменения скотоводческого общества на основе анализа плиточных иогил Монголии в Современные решения актуальных проблем евразийской археологии., Издательство Алтайского государственного универстета., pp. 130-133, Барнаул.

第5章

退耕還林と黄土高原農村
――環境保全と暮らしの持続性は両立するか――

佐藤　廉也

はじめに

今日の黄土高原は、砂漠化、黄河断流、そして黄砂飛来の問題など、さまざまな環境問題に結びつけられ、その環境問題の原因は人為に求められることがしばしばである。農耕と牧畜に代表される黄土高原の過剰な土地利用による水土流失が上記のさまざまな問題の根源にある、というのはその典型であろう。本章で扱う中国政府の大規模植林プロジェクトである退耕還林も、そのような問題認識から策定・実施されたものである。

黄土高原をめぐる環境問題に、気候変動だけでなく人為がかかわっていることは疑いの余地がない。しかしその解決にあたって、原因となる人間活動を全て取り除き、代わりに植林を施せば問題が解決すると考えることは、あまりに単純であり、場合によっては問題の悪化すら招きかねない。第一に、あらゆる植林が水土保持効果をもつと考えることには問題がある。退耕還林政策では、樹種をトップダウンで行政が選択することによって、緑化のスピードにおいて即効性をもつニセアカシアなどの樹種が選ばれることが多かったが、これらは既に様々な問題点が指摘されており、地下水分の過剰消費によって砂漠化をかえって加速させる可能性すらもっている（侯ほか２００８）。この問題は、プロジェクトの実施を担う機関が生態学に関する正しい理解をもち、かつ短期的な成果主義に陥らないようなシステムをつくることによって解決しなければならない。

いま一つの問題は、環境回復のためにあらゆる人間活動を排除することが望ましいと考えることの誤りである。人間を排除することによる自然の回復という考え方が、そもそも本末転倒であることは言うまでもない。

人間活動を持続させながら環境の回復・保全をはかるということは、すなわち生態系と人間の経済活動とを両立させる道をさぐるということにほかならない。いわゆる伝統的な生業があまねく自然と共生する知恵をもっているると主張しているわけではない。伝統的な生業が環境を破壊した過去の事例はいくらでも挙げることができるし、たとえ伝統的な生業によって長い間持続的な環境利用が保たれてきた事例であっても、現代の急激な社会経済環境の変化によって持続性のメカニズムが崩壊する事例もまた数多く報告されている（Low 1996;Smith and Wishnie 2000）。環境の持続性と経済活動がしばしば衝突することは、農村社会であっても我々現代日本であっても、そしておそらくは過去の狩猟採集社会においてすら見られることであろう。

それでも地域において長く持続してきた伝統生業には、多くの合理性が見られることが多いのもまた事実である。伝統生業は、長い時間をかけて試行錯誤し淘汰の結果作り上げられた技術・文化の集積である。そこには、しばしば外部からの技術の導入では見落とされがちな、微細な地域環境への理解と対応が見られる。伝統技術のもつこうした側面に注目し、拾い上げ、それを活かしつつ新たな状況に対応する保全の道を考えることが、最も効率的な環境保全の方法だと考えられる。

地域における経済活動は、環境破壊を防ぐ意味からも守られなければならない。環境保全と両立しうる人間活動は、経済の持続性なしには成り立ちがたい。生活の困難に直面すれば、環境を略奪的に利用することもいとわないのもまた、どのような社会にも共通に見られる行動様式だからである。したがって、環境保全政策が人間の生活を圧迫するような事態は、環境保全を成就するためには避けるべきである。

退耕還林政策の策定において、中国政府がこの点を意識していたと思われる点は興味深い。退耕還林は後述

写真１　黄土高原

するように発足当初から、植林による生態系回復・保全と同時に、対象地域における農村経済の改善・開発を目指すものであった。この背景には三農問題と呼ばれる農村・農民の貧困問題があり、政府は環境問題と農村の貧困を切り離せない問題ととらえ、その同時解決を狙った。この点において、環境保全と人間活動の関係、さらに政府のプロジェクトと農村に暮らす人々の対応、それらの諸関係を考える上で、黄土高原はまたとない素材である。

本章では以下、黄土高原のいくつかの村を事例として、まず環境と伝統生業との関係について概略的に述べ、続いて退耕還林の概要・経過とその成果、そして農村にもたらした影響を順に述べていき、そのなかで環境問題の解決と生活の持続性を両立させるために何が必要なのか、その手がかりをさぐっていきたい。

黄土高原農村　―伝統と変容―

まるで魚骨のように入り組んだ尾根と谷がどこまでも広がる、筆者が最初に黄土高原を飛行機の窓から目にした時の景観は忘れられ

写真２　ヤオトン内部での聞き取りの様子

ない。厚く堆積した黄土が年月を経て深く刻みこまれ、等間隔に谷が形成される（写真1）。こうしてできた尾根、谷、急斜面で農耕と牧畜がおこなわれてきた。

黄土高原の多くは短い雨季をもつ半乾燥地域である。筆者が２００５年から定点観測を続けている延安市・安塞県の村（B村）を例にとると、年降水量は５００～５５０ミリで、アワ・キビなどの雑穀の栽培限界に近い。したがって農業生産は不安定にならざるを得ないため、伝統的な生業は半農半牧であり、放牧によるヤギ飼養を中心に、ロバやウシなどが飼養されてきた。平坦な土地の乏しい黄土高原で、人びとは掘削の容易な黄土の斜面に横穴を掘り、ヤオトン（窰洞）と呼ばれる洞窟式の住居を構えて暮らしてきた。ヤオトンは今世紀に入って減少しつつあるが、依然ヤオトンで暮らす人びとは多く、B村には3世代にわたって住み続け、築60年以上経つ古いヤオトンに暮らす老夫婦の家もある（写真2）。ヤオトンの中は夏でもひんやりと涼しく、冬はかまどの熱を床暖房に利用するために暖かい。

図2に、B村における土地利用を、図3には主要作物の栽培暦を

図１　対象地域
図中の等値線は年降水量を示す。

あげている。黄土高原の伝統的な主作物は尾根上や斜面における夏作のアワ・キビ雑穀と豆類・ジャガイモ栽培、冬作のコムギ、そして谷筋の耕地におけるアワやトウモロコシ栽培である。アワ・キビは、かつて日本や東南アジア・南アジアの山間地でもさかんに栽培されていた雑穀であるが、それらの地域では現在は稲作に転換されるなど、姿を消しつつある。しかし黄土高原を中心とする中国北部では依然として主作物の一つであり、その栽培方法も伝統的な技術要素が多く残されており、興味深い。谷筋の耕地ではかつては主にアワの他にモロコシ（コウリャン）が栽培されていたと推定されるが、第二次大戦後、とくに人民公社による土地改変をへて、現在はトウモロコシ栽培が主流になっている。一方、この地域ではコムギはアワ・キビ・ダイズとともに斜面で耕作されてきたが、図３の栽培暦からわかるように収穫期が夏作の播種期の後になるため二毛作は難しく、高収量も見込めなかったために比較的条件の悪い土地で栽培され、収穫後は作期の短いソバなどが作られてきた。

図２は、２００５年に現地協力機関である国立水土保持研究

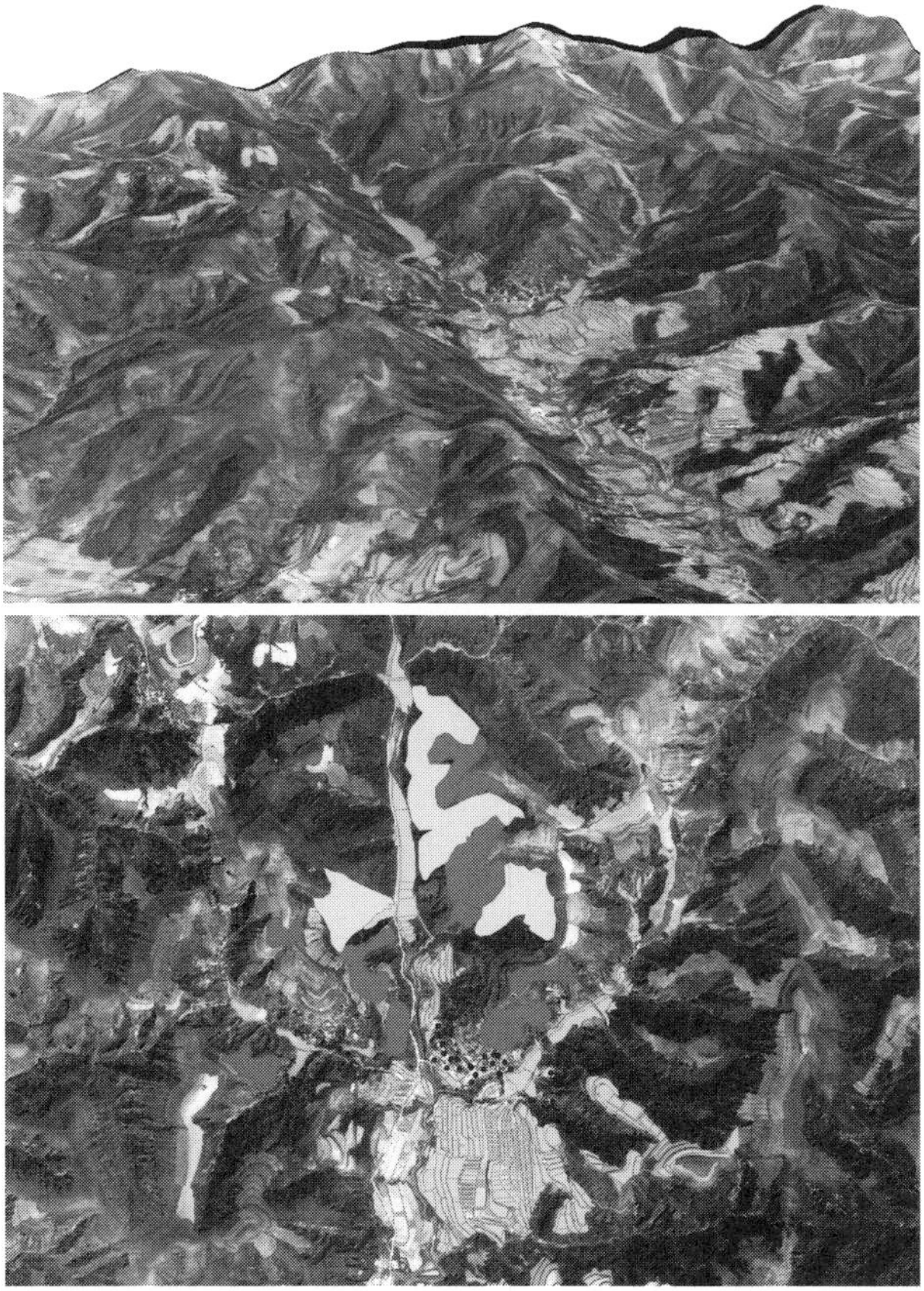

図2　B 村の景観と土地利用
上は南方からみた景観で、ドットはヤオトンの分布を表す。下は筆者らの作成した土地利用図を重ねたもの。集落北方の囲みは退耕還林・荒山造林地を示す。いずれも原図は QuickBird 衛星画像。

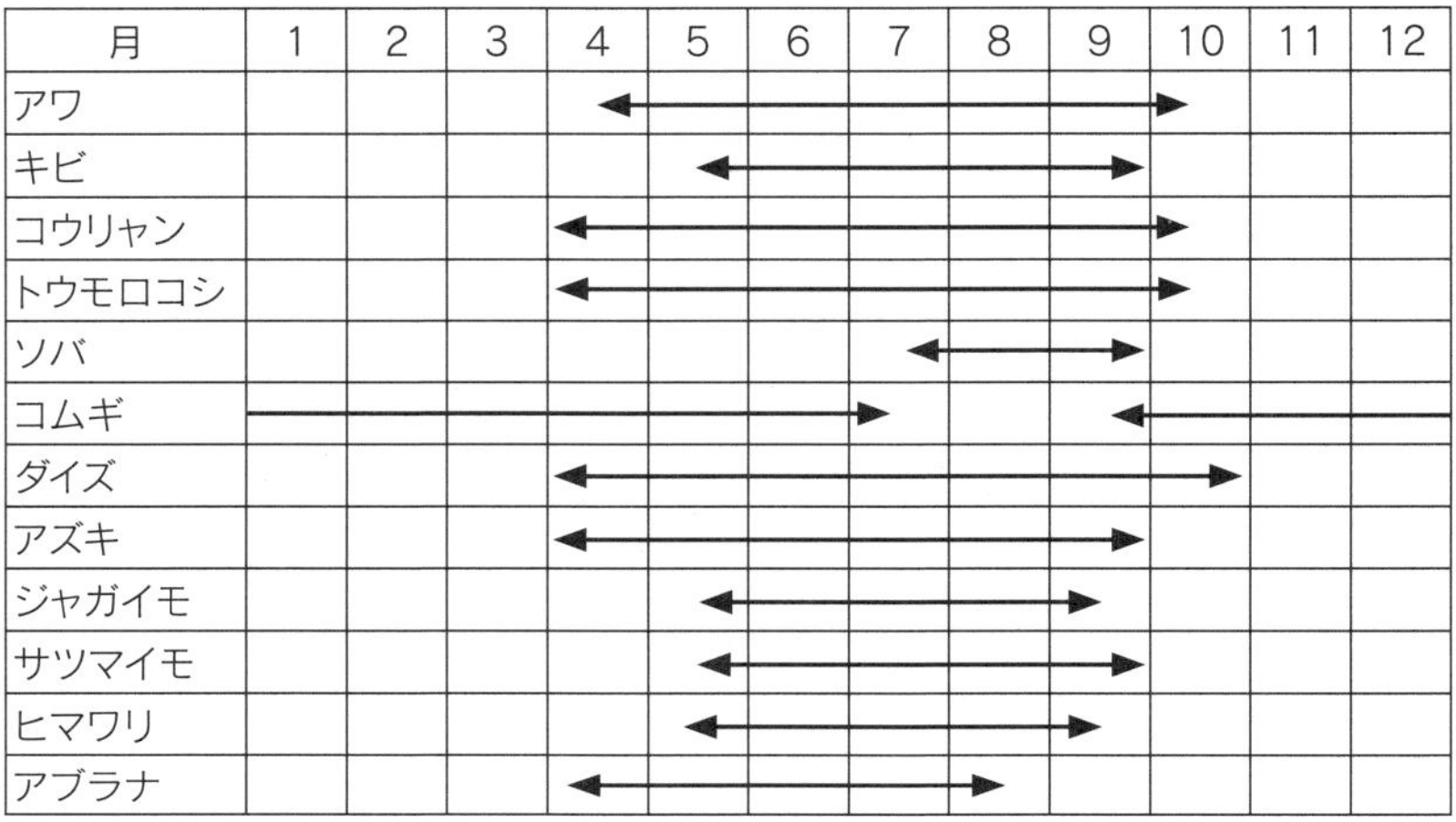

出所：聞き取りにより筆者作成

図３　Ｂ村における主要作物の栽培暦

所の許可のもと、ＧＰＳを用いてＢ村の全耕地を測量して作成したものである。筆者はこれを用いて、２００５年から２００７年までの３年間のほぼ全ての畑の作付を記録した。その目的の一つは、輪作パターンを含む作付けの特徴を確認することである。６世紀に書かれた農書『斉民要術』には、黄土高原を含む中国北部の伝統的畑作技術に関する詳しい記述があり、このなかでアワ・キビ・ダイズ栽培の品種の特徴などとともに、耕地の土地条件と栽培種の関係や輪作技術について書かれている。例えば、耕地の傾斜や水分・栄養条件の違いによるアワ・キビの播き分け方、アワとキビそれぞれの連作の許容度やダイズとの輪作の組み合わせ方などである。また、畝立て方法に関する独特の技術もあり、水分の乏しい尾根上や斜面では、畝ではなく溝に条播するなど、様々な乾地農法技術が記述されている。３年間の作付けパターンを記録し検討した結果、斉民要術に書かれたこうした技術の多くが現在でも実践されていることを確認できた。同時に、黄土高原は降水量は少ないが、

写真３　チェックダム（壩地）

黄土はミネラルを豊かに含み、適切な乾地農法技術を施すことによって豊かな農業生産が可能であることが現地での観察によって実感できる。

当然のことながらこうした技術は、全てが不変のまま受け継がれて今に至ったのではない。むしろ、環境の制約を受ける核心部分の技術を除いては、既存の技術をベースにしながらも絶えず試行錯誤され改変・修正されてきたと考えられる。このわずか半世紀の間にも様々な技術的改変の跡が見られる。典型的な例として、伝統的な技術であるが人民公社時代以降に造成がすすんだチェックダム（壩地）がある。これは、谷底に堰堤をつくって斜面の侵食によって流れてくる土砂をせき止め、堰堤の両側に排水溝を設けて水を流し、集積した土砂を畑にするものである（写真3）。チェックダムは排水をうまく施せば、土壌水分・養分とも豊かな耕地となる。これは黄土高原の斜面の土砂流失を前提とした技術であり、侵食を無理に食い止めるよりもそれを下で受け止めて利用しようとした技術である。

段畑やチェックダムの造成がすすんだのは大躍進の頃からで、

図４　1963年撮影の高精度空中写真からみた黄土高原
楕円で囲まれた箇所にチェックダムがみられる。

その後１９６０年代後半になるとさらに造成がすすんだ。これらの土地利用の変遷を正確に復原するのは容易ではないが、米軍の偵察機が撮影した１９６０年代前半期の高精度空中写真を利用し、それを近年の高分解能衛星データと比較すると当時の土地利用とその後の変遷がわかる。図４は黄河中流に接した延安市延川県で、１９６３年に米軍によって撮影された空中写真の一部である。写真からは、当時既にチェックダムや段畑の造成がすすんでいることがわかるとともに、現在はナツメ栽培に特化した同地域の土地利用の多くが、当時はアワ・キビを中心とする雑穀栽培であったことがわかる。

退耕還林

退耕還林政策は、１９９９年頃から実施された「人類史上最大の植林プロジェクト」と呼ばれる国家政策である。政策の背景には、大河の洪水による水害や、水量の減少、干ばつなど、１９９０年代に繰り返された自然災害があった。とり

写真４　退耕還林によって造成された大規模な段畑

わけ黄河の下流において長期にわたる断流現象がみられるようになり、また１９９８年には歴史的な被害となった長江や松花江における大洪水が発生すると、その主要な原因が大河の集水域における環境の荒廃に求められることとなった。

こうした認識のもと中国政府は、黄河や長江をはじめとする大河の上・中流の集水域における急斜面の耕作をやめさせ、代わりに植林を施すことを主眼とする退耕還林政策を策定した。発足当初は、10年計画で３２００万ヘクタール（日本の国土面積の八割に相当する）の新規造林を目標とし、人類史上最大と呼ばれる所以となった。

退耕還林の骨子は、「退耕還林（還草）・封山緑化・以糧代賑・個体承包」という「十六字スローガン」によく表されている。退耕還林は読んで字のごとく「農耕をやめて林地に還す」意味であるが、とりわけ25度以上の急傾斜地がその対象となり、それ以下の緩傾斜面の耕地は政府の補助金によって段畑化がすすめられることになった。人民公社時代には段畑は人力によって造成され、耕地は小規模であったが、退耕還林では土木工事による大規模なものが造成された（写真４）。耕地に限らず、放牧などがなされていた斜面でも植林がおこなわれた（荒山造林）。

「封山緑化」は、山間地における放牧を全面的に禁止することによって緑化を促すという意味である。伝統的にヤギの放牧が盛んにおこなわれてきた黄土高原北部地域でも、放牧が禁止され舎飼いが奨励されることになり、密放牧は厳しく取り締まられることになった。こうして耕地が大幅に減少する上に主生業である放牧が禁止になった農村の暮らしを補助することを意味するのが「以糧代賑」である。政府は農民たちが積極的に退耕還林を受け入れるように、退耕還林を実施した面積に応じて8年間に渡って穀物を補助するとした（この補助期間は後に、16年間に延長された）。この現物支給による補助の背景には、政策策定当初の国内における穀物のだぶつきがあったとされる。斜面耕作によってつくられる低品質の穀物生産を縮小するとともに農民に配給することによって、穀物の在庫整理をおこなおうとしたというのである。ただし穀物はこの後国内消費量の急速な増加によって不足に転じ、現物支給もとりやめになり、現金支給となった。

退耕還林政策における政府の農民への考え方は、プロジェクトの推進は個別農家によって担われるべきであるという「個体承包」という言葉に表れている。植林は苗を植えただけでできるものではなく、長期の維持管理が必要である。各村において実施された造林地は、農民によって維持管理されなければならない。政府はこのため、造林地の50年間の使用権を農民に与え、林地の維持管理のインセンティブを高めることを試みた。これによって農民は、自ら植林した樹木を将来伐採・販売する権利を保証されることになった。２００８年には、全国の農村において各農家世帯に林地の使用権を示す林権証が発行・配布された。

退耕還林はこうして、まず１９９９年にモデル地区で、そして２０００年からは内陸部の山間地を中心に全

表1　森林面積の増加量・増加率の国別比較

国名	森林増加面積（千 ha）	森林面積増加率（%）
中国	27,096.8	15.3
アメリカ合衆国	3,444.2	1.1
インド	2,899.0	4.4
ベトナム	1,928.0	16.4
トルコ	1,069.2	10.5
スペイン	1,009.5	5.9
スウェーデン	814.0	3.0
イタリア	702.0	8.4
ノルウェー	687.6	7.4
フランス	553.0	3.6
ブルガリア	496.8	14.7
フィリピン	493.2	6.9
キューバ	400.4	16.4
チリ	359.4	2.3
ベラルーシ	318.2	3.8

FAOSTAT により作成。

国で実施された。先に述べたように、中国国内における穀物生産が過剰から不足に転じたことにより、２００４年をピークとして退耕還林の実施面積は減り、代わりに「荒山造林」が中心となった。２０００年代の10年間における森林増加面積の大きな国を挙げた表１を見ると、中国の増加面積が突出しているのがわかる。また増加率の点からも、ベトナムやキューバと並んできわめて急速である。いずれも社会主義国であるのは、トップダウンで政策を遂行できる強みがあるからであろう（関ほか２００９）。２００９年の段階で政府は、当初の新規造林目標が前倒しで達成させられたと報告している。

本章の対象である陝西省北部（陝北地方）は、モデル地区としていち早く退耕還林が実施に移された地域である。23世帯・人口１０６人（２００５年時点）からなるＢ村でも、斜面の耕地のおよそ

写真５　Ｂ村におけるニセアカシアの植林地

45%が退耕され、植林された。退耕還林の造林地は、水源涵養林としての「生態林」と果樹などの経済作物を作る「経済林」に分けられるが、Ｂ村は大半が前者であり、主にニセアカシアが植えられた(写真5)。耕地を減らすことについてどのように考えたかを村びとに尋ねると、政府による補償額は退耕前の作物生産の利益を上回るため、ほとんどの世帯は積極的に退耕還林を受け入れたという。

退耕還林による土地被覆効果はどのように評価できるであろうか。退耕還林前の黄土高原を直接観察することができなかったため、衛星データを用いて土地被覆変化の評価を試みたのが図5である。ここでは、１９９5年と２００4年の5月のランドサットのデータを用いて、地表面アルベド値（太陽光の反射・吸収量の近似値で、土地被覆を推定する指標）を色で表している。図で色の濃い部分は、より劣化した土地被覆を示しており、退耕還林後に劣化した土地被覆の回復が見られることが図からはっきり読み取ることができる。細かく見ると、退耕還林・荒山造林地だけでなく、その周辺の急斜面でも回復が見られ、禁牧の効果も大きいことが推定される。図5はＢ村の範域に絞って示しているが、延安周辺を広範囲にみても、

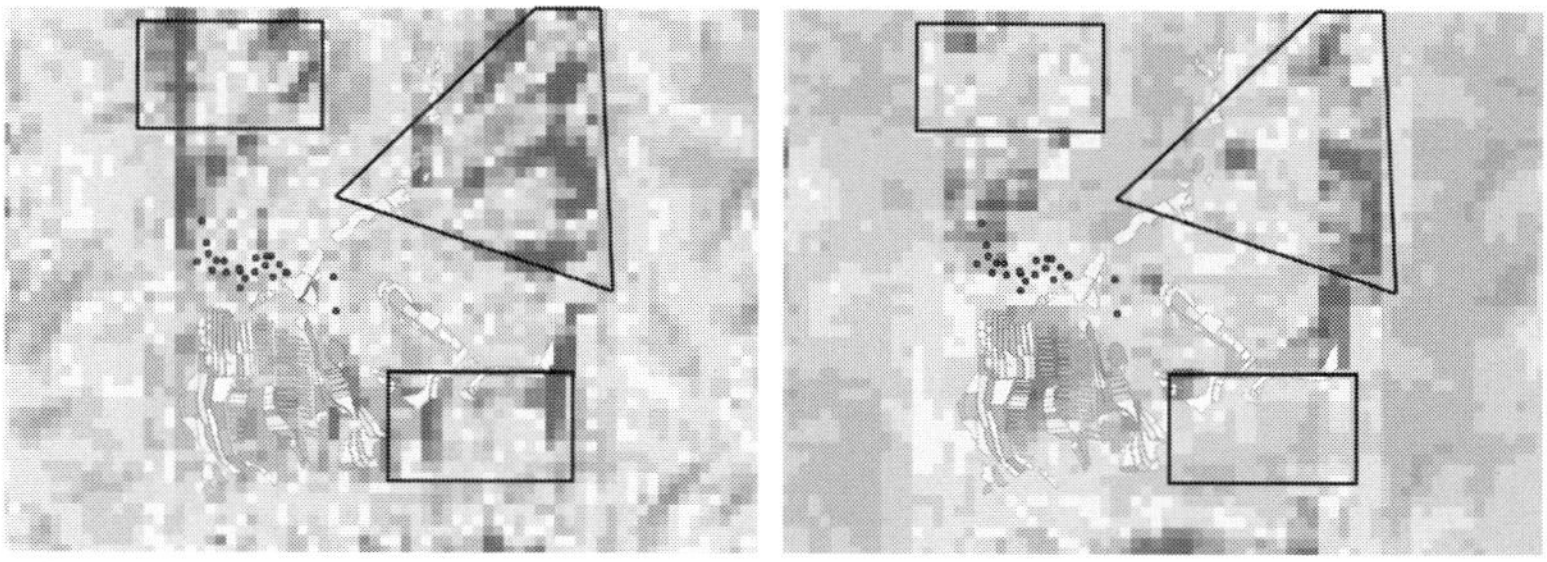
「退耕還林」プロジェクト実施前（1995年5月7日）　「退耕還林」プロジェクト実施後（2004年4月29日）

図５　Ｂ村における退耕還林前後の土地被覆変化

植生回復が顕著に読み取れる結果であった。

このように、植生回復効果の評価については政府による発表を裏付ける結果となったが、手放しで評価できない点もある。Ｂ村で植林されたニセアカシアは周辺地域でも広く退耕還林の対象樹種として選ばれている。ニセアカシアは成長が早く半乾燥地でも良く育つため選ばれたと思われるが、林床の生物相もリョウトウナラなどの在来種で構成される森林に比べると貧弱であるという（侯ほか２００８）。植林樹種の選定には村びとの意見が入る余地はなく、林業局が決定したものであるが、ニセアカシアに対する価値評価は村びとの間でも高くはなく、造林地の維持管理に対するインセンティブを低める結果にもなっている。この問題はＢ村に限らず類似の例が報告されている（関ほか２００９）。

退耕還林による農業の変化と農村振興政策

退耕還林は、伝統的な農業土地利用に大きな変化をもたらした。表２からわかるように、耕地のカテゴリーごとの変化をみると、斜面における畑の栽培が激減し、それに代わって新しく造成された段畑による栽培面積、

表２　Ｂ村における退耕還林前後の農業土地利用変化

（単位：畝）

	1998年	2004年
総耕地面積	2,400.0	1,354.7
段畑	85.0	709.4
谷畑（壩地）	100.0	345.1
斜面畑	2,215.0	302.0

1畝は約0.067ha。

表３　Ｂ村における退耕還林前後の作付面積・生産量変化

	1998年			2004年		
	面積（畝）	畝当生産量（斤）	総生産（斤）	面積（畝）	畝当生産量（斤）	総生産（斤）
トウモロコシ	100	550	55,000	542	800	433,360
アワ	204	145	29,580	130	300	39,000
キビ	136	120	16,320	90	280	25,200
マメ類	408	130	53,040	200	210	42,000
ジャガイモ	680	1,000	680,000	200	1,400	28,000
ソバ	680	90	61,200	-	-	-
冬コムギ	680	95	64,600	-	-	-
合計			959,740			595,560

現地調査により作成。

表４　Ｂ村における退耕還林前後の家畜頭数変化

	1998年	2004年
ウシ・ロバ・ラバ	130	112
ヒツジ・ヤギ	1500	-

現地調査により作成。

また同時に新規造成されたチェックダムによる畑（壩地）での栽培面積が増加した。また、表3から、作物種ごとの栽培面積も大きく変化しているのがわかる。主に壩地で栽培されるトウモロコシは栽培面積・生産量ともに増加したのに対し、アワ、キビ、豆類、ジャガイモなどは退耕還林で耕地面積が減少したことにともない、大きく栽培面積は減少した。ただし、アワ、キビはトウモロコシとともに単当たり収量が増加したことによって、生産量は増えている。トウモロコシは新品種の導入によるところが大きいが、アワ、キビについては施肥量が増えたことが影響しているものと推測される。一方、コムギやソバのように、退耕還林後ほとんど消滅してしまった作物もある。

禁牧にともなって、家畜飼養にもきわめて大きな変化がみられる。表4をみると、ウシ・ロバなどの保有頭数は大きく変わらないのに対し、行政村全体で１５００頭いたヤギはほとんど消滅してしまった。

退耕還林の一方の柱である農村振興策についてはどうであろうか。政府は退耕還林の実施と併行して、地域・村ごとに異なる産業を奨励し、補助金を支給して村の人びとが耕作地の減少や放牧の停止による収入減少を補う手段を定着させようとした。陝北地方では、リンゴやナツメなどの果樹栽培や、ビニルハウスによる市場出荷向けの野菜栽培、舎飼いによるウシ・ヒツジ・ブタなどの飼養などが地域・村ごとに選ばれた。

B村で選ばれたのは、ビニルハウスによるトマト、トウガラシ、インゲンマメなどの野菜栽培である。降水量からリンゴやナツメの栽培条件には合わないが、比較的延安に近い利点を活かして選ばれたものであると推定される。地方政府は無利子でビニルハウス建設費用を貸与し、各世帯は２００４年までに１～４基のビニルハウスをそれぞれ新たに建設した。通常年２回、市場価格を考慮しながら野菜を選んで栽培し、収穫物は三輪

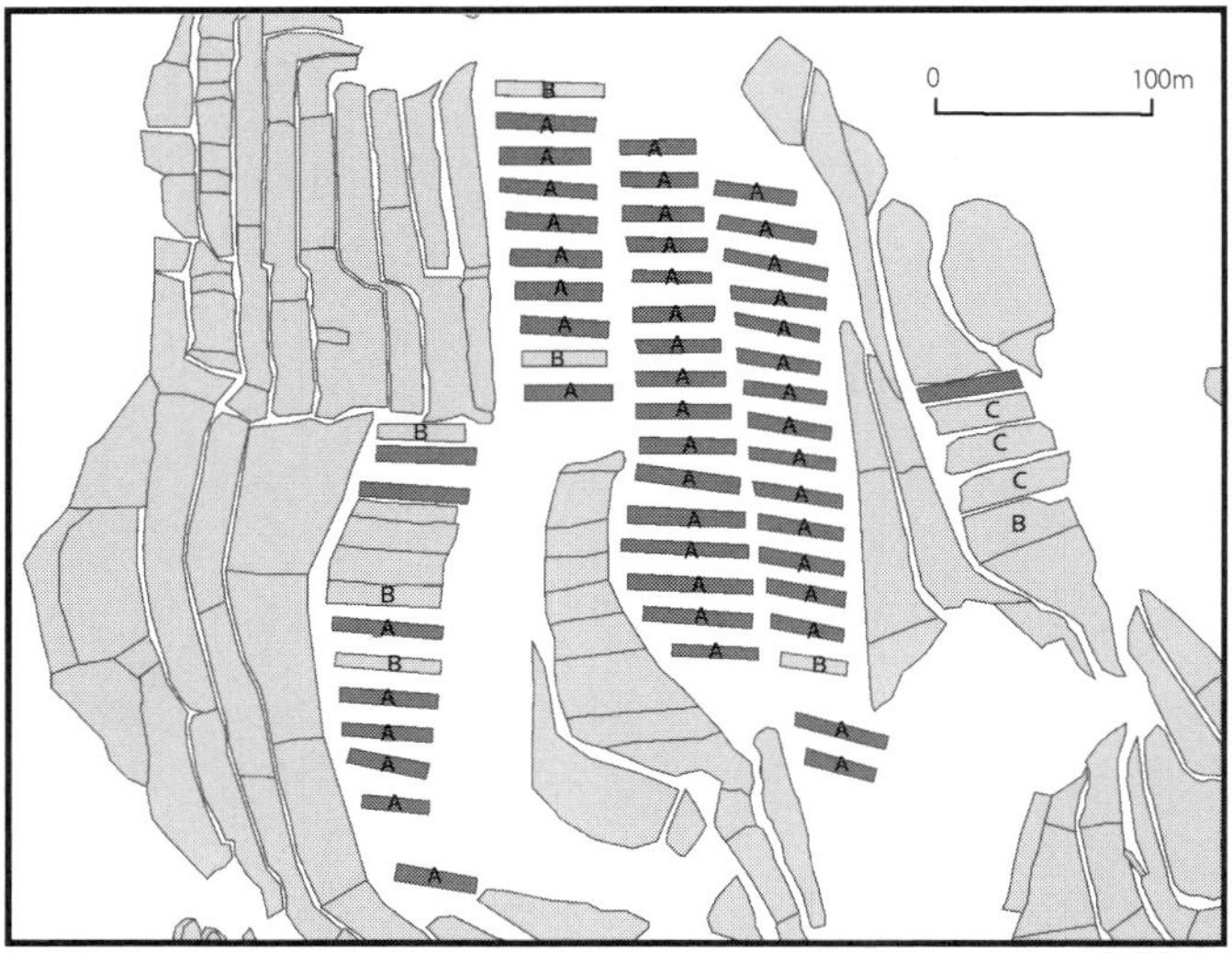

2005 年

A（濃色）＝ビニールハウス栽培が行われているハウス
B＝ビニールは施されているが栽培されていないハウス
C＝ビニールハウスが取り外され柱のみ残されているハウス
D＝ハウスが消滅し更地になった土地

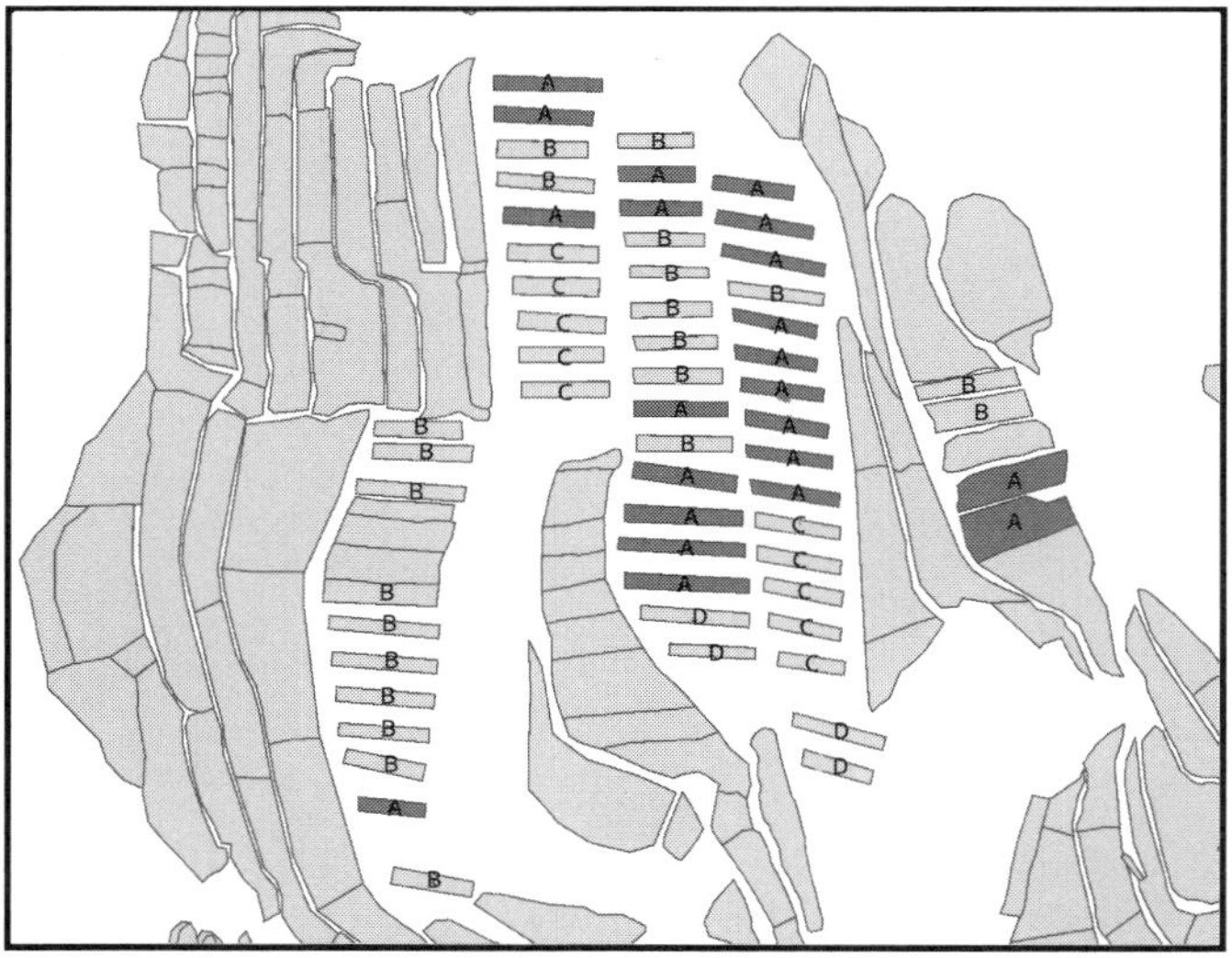

2009 年

図６　Ｂ村におけるビニルハウス栽培の推移

トラックで近隣の郷や延安に出荷した。2005~2006年の調査では、平均してビニルハウス一基あたり8000~15000元の純収入を得ており、退耕還林以前には村内での現金収入がほとんどなかった状況を考えると、順調に経営がなされているように見えた。

ところが、その後の経過は筆者の予想に反するものだった。図6にみるように、2005年の時点で使用されていたビニルハウスのうち、2009年までに半分以上が使用されなくなり、破棄されてしまった。2013年に訪れた時には、全てが放棄されていた。この理由はいくつかある。最も大きな原因である、若者世代の都市への流出については後に詳しく述べる。今一つの理由は、出稼ぎで現金を稼ぐ世帯が増えたことである。ビニルハウス栽培は、毎日のカーテンの上げ下ろし作業（夜の放熱を防ぐため）をはじめ、継続的な労働とメンテナンスの手間を要する。一方で主に建築現場などで雇用される出稼ぎはより効率的に現金を稼ぐ手段であり、求人も2000年代後半以降、増加傾向にある。こうして、40歳代以上の年配の世代も村外で現金を得るようになり、大きな投資をしたにもかかわらずビニルハウスは放棄されてしまったのである。出稼ぎによる人口流出は、村の農耕全体にも影響を与えつつある。とりわけ集落から離れた尾根上の段畑では、2005年時点ではほぼ全てが作付されていたが、2009年以降には休耕が目立つようになった。また、2006年に尾根上に新たに大規模な段畑が造成されたが、そのほとんどは一度も作付されることなく放置されている。

農民たちの様々な対応

Ｂ村の代替産業の失敗は必ずしも陝北地域を代表する事例というわけではない。延安市域内でも地域によって異なる自然・社会条件があり、それに応じて結果も様々である。以下では前節でのＢ村との比較を意識しつつ、自然・社会条件の違いに注意して他の地域・村の事例をいくつかみてみたい。

〈リンゴ栽培　―陝北地域の成功事例―〉

延安市南部の洛川県は、降水量が６００～６５０ミリと多く、また侵食が進み起伏の激しい延安北部地域に比べ、平坦な台地が広がり、リンゴ栽培の適地となっている。洛川リンゴは退耕還林以前からブランドとなっているが、退耕還林以降は経済林によるリンゴ栽培の拡大をいっそうすすめている。

洛川県交口河鎮のＨ村は、リンゴ栽培の中心地である洛川県の台地上ではなく、台地のふもとにある谷筋に立地している。この村で、32歳の長男夫婦と8歳の孫と一緒に暮らしているＧＫさん（61歳）に話をうかがった。ＧＫさんには他に3人の娘がいて、いずれも村外に婚出している。ＧＫさんは4歳の頃、飢饉の続いていた安徽省から一家5人でこの村に移住し、ＧＫさんは養子になり改姓した。両親はここから1キロ離れた村で亡くなっている。

ＧＫさんは１９８６年からリンゴ（「青冠」という品種）を栽培している。この地域は谷筋にあるため台地

写真６　延安に住むＢ村出身の若者たち

上のブランド地に比してリンゴの価格は低いが、台地上の街までリンゴを運んで売ると倍の収入になる。台地のリンゴは1畝（1畝は0・067ヘクタール）の耕作で1万元の収入になるが、谷のリンゴは3000元くらいであるという。青冠は古い品種で収穫が少ないため、5畝の畑にある青冠は1700元で人に貸して、自分では「ふじ」を6畝つくっている。退耕還林前は2万元程度の年収だったが、退耕還林後はその2、3倍程度になったという。

他に川沿いの畑が5畝あり、トウモロコシ、アブラナ、コムギなどを栽培している。1990年代までは数頭のウシを飼っていたがリンゴ栽培で忙しくなったので売った。自給用の雑穀はいまでも作っている。アワは1年収穫すると数年分は食べられるが、キビは1畝未満の小規模な畑だが毎年栽培している。他にジャガイモや野菜類とコムギは全部自給し、コメは買っている。

〈ナツメ栽培〉

黄河本流沿いの地域は侵食により黄土の堆積が相対的に薄く、ナツメの栽培適地となっている。陝西省と山西省を結ぶ幹線道路に近

写真７　黄河沿いの村でのナツメ栽培

い延川県延水関鎮E村は、以前からのナツメの名産地である（写真7）。ここでは退耕還林地にはほとんどナツメが栽培されている。一見して経済林であるが、ナツメの下に灌木（苗蓿）を植えたので、生態林と認定されているという。聞き取りをおこなった２０１１年当時は退耕還林8年目で、次の年からは補助金が減額されて１畝あたり90元となる。１畝あたり50本前後のナツメが栽培され、２０００～２５００斤（乾燥重量で１０００～１３００斤）の収穫が期待できる。ナツメは5年目から収穫でき、その後何十年も収穫でき、年数が長いほど品質もあがるという。

村長のＣＳさん（51歳）は、３人の子供（長男27歳、次男24歳、長女18歳）は皆延安で働いており、ＣＳさんも正月は延安で過ごすという。長男に45万元で、次男に38万元で、マンションを買ってやった。１９８０年代は出稼ぎで生計をたて、山西省で酒会社に勤めたり、トラックの運転手をしたりして金を稼いだ。１９９０年にこの村に戻り、家を建て、その後長女が生まれた。もともとナツメ畑を4畝もっていたが、16畝を退耕してナツメを植え、今では20畝を所有する。他にトウモロコシを年に１２００～１３００斤収穫し、養豚所に売却している。ナツメの年収入は現在は６０００元くらいで、新しいものはまだ収穫できない。村では、5年契約で黄河の砂を業者に採取させて22万元を得ている。1年あたりにすると3・1万元、1人あたり６０００元の取り分があるという。昔はゴマ、ワタ、コムギ、トウモロコシ、マメ、モロコシ、アワ、キビ、ソバなどを栽培していたが、ほとんど退耕還林でつくるのをやめた。

同じ延川県延水関鎮のC村で、ＬＧさん（47歳）、ＭＴさん（47歳）夫妻に話をうかがった。ＬＧさんの母（78歳）が同居している。４人の子供がおり、26歳の長男は西安の大学でメディアを専攻、卒業した。24歳の次男は西安交通大学で建築（土木）卒業、20歳の長女は陝西省医学院2年、19歳の三男は延安大学に今年入学した。４人目の子については一人っ子政策に基づく罰金を１０００元以上支払った。昔は養育費がかからなかったが、今では農村でも2人が限度だろうという。子供の養育費だけで年間10万元で、しかも卒業しても仕事に就くことができる保証はない。

ＬＧさんは建築現場を中心に出稼ぎをし、年に数万件を稼いでいる。ナツメは、昨年は純収入４万元くらいで、時々帰ってきてはナツメの消毒などの仕事をする。主人は建築現場を転々とし、ＭＴさんは延川で家賃３００元の部屋を借り、子供たちと住んでいる。長男が中学から延川に住むようになり、その頃から出稼ぎをやるようになった。今年8月に長男・次男が同時期に卒業したが、長男次男ともまだ職はない。

現在はこの村はほぼ全てナツメで、アワなどは間作で少しつくるのみである。退耕還林したナツメ以外の畑のうち、3分の2ほどは自給用のコムギをつくっており、他はジャガイモ、アワ、キビ、モロコシ、マメ類などを栽培していた。ナツメは以前から斜面の畑で10畝くらいつくり、毎年７０００元くらいの収入があった（現

写真８　舎飼いでのブタ飼養

在の物価でいえば2万元くらいの価値があったという）。古いナツメは斜面地だったので退耕の対象になった。

〈舎飼いによる家畜飼養〉

リンゴ栽培をおこなう延安市交口河鎮H村では、主に養豚で生計をたてる世帯が一つだけあり、世帯主のＬＫさん（58歳）に話をうかがう機会を得た。ＬＫさんには2男1女があり、それぞれ都市部に定着して結婚し、職を得て暮らしている。

ＬＫさんは22歳の時からずっと村長をつとめ、２年前に退任して養豚を始めた。２年間の養豚経営で３００頭のブタを市場に出し、現在ではメス11頭、オス1頭、子豚をあわせると50頭ほど飼育している（写真８）。畜舎は広く、ＬＫさんは資金さえあれば６００頭の飼育が可能というが、資金不足のためこまめに肥育して出荷せざるを得ないということである。畜舎はＬＫさんが独自につくったものではなく、もともと畜牧局の企画によって村の共同畜舎として、十数年前に40万元かけてつくられたものである。当時、何世帯かがこの畜舎を使ってブタ飼養を試みたが、病気で死なせるなどしてどの世帯もうまくいかず、畜舎は荒廃したまま放置されていた。ＬＫさんは村長を退任した後、畜牧局から4万元、郷政府から1万元の補助をもらって、子豚40頭を購入して養豚を始めた。過去にウシ（かつて4頭飼っていたが、5年前までに全ていなくなった）、ロバ（70年代にのみ所有）、ヤギ（50頭程度所有していたが、禁牧に伴い全て売却した）は飼養経験があったものの、ブタは全く初めてであったが、防疫などの研究をやって今まで成豚は1頭も病気で失っていないという。

現在、年当たりの純収入は3万元程度だが、資金を得て６００頭の飼育ができれば数十万元の収入も可能だという。主な飼料はトウモロコシで、年に3~5万斤（平均2万元程度）のトウモロコシを購入し、配合飼料と麦の皮を混ぜて与える。地豚は成長が遅く赤身が少ないのであまり高く売れないといい、現在1頭の地豚を飼育している他は全て河南省などから仕入れた品種である。去勢は1頭あたり5元で村人に頼んでやってもらうという。ＬＫさんの現在の収入は主に養豚で、7畝のリンゴ畑は人に貸して、年に約１０００元の借料をとっている。退耕地は9畝あったが、リンゴは植えず全てニセアカシアである。

延安市宝塔区Ｍ村では、61頭のウシを飼養するＫＦさん（46歳）とその夫人（44歳）から取材させてもらった（写真9）。ウシは肉牛中心である。ＫＦさんは2人の子があり、長男（22歳）は西安で貿易会社に勤め、次男（19歳）は楡林の短大で畜産を学んでいる。

Ｍ村は舎飼いによるウシ飼養のモデル地区に指定されており、ＫＦさんは宝塔区から補助金を得て8年前から飼養を始めた。村内ではあと6世帯ほどウシ飼養をやっているが、40頭前後飼っている世帯が一つある他は小規模である。ＫＦさんによれば、50頭程度の飼養が最適のサイズであり、年に40頭ほど売却して、年間10万

写真９　ウシを水飲み場に連れて行くKFさん

元程度の純利益が得られるという。延川県、延長県出身の牧夫を一人ずつ、それぞれ月４００元で雇用している。また、他に男性１日１００元、女性１日70元で、主に村人を必要に応じて雇用し、収穫や出荷などの仕事をやってもらっている。畑を１３０畝借用し、ウシの飼料原料となるトウモロコシ（約50畝）、モロコシ（約50畝）、ウマゴヤシなどを栽培している。畑の借料は1畝あたり年間20元で、11年分を2万元程度支払った。飼料は穀物に豚骨粉を主に混ぜた物で、豚骨粉は1斤1元で、年に１０００斤程度購入する。牛糞は三輪トラック1台分で80元程度に売れる。この牛糞の一部は後述のように、同村のビニルハウス栽培農家に提供されている。

一方、延安市宝塔区牛庄村では、ヤギ飼養で生計をたてる世帯で話をうかがうことができた（写真10）。この世帯では、区の舎飼い奨励策に応じて4年前から初めて畜舎でのヤギ飼養を始め、それ以前にはヤギを飼養する経験は全くなかった。現在では４００頭のヤギを所有している。年間の純利益は12～13万元になり、その内訳は肥育とカシミヤ販売である。

肉用ヤギの売却は年に数回のピークがあり、肉の価格が上昇する

写真10　舎飼いによるヤギ飼養

旧暦7～8月に300頭以上、旧正月前に400頭以上、ほかに旧暦5月頃に200頭前後の売却をおこなう。自前の繁殖は年に60頭ほどで、内蒙古などから子ヤギを購入しての肥育が中心である。旧暦の2月、5月、9月頃に子ヤギを仕入れる。ヤギは誕生後100日前後で肉用として1頭平均900元程度で売れる。カシミヤは年間200斤前後とれ、1斤あたり170～180元で売れる。2月頃子ヤギを仕入れ、4月頃に剃毛する。餌は、トウモロコシ、トウモロコシの茎に配合飼料を混ぜる。退耕還草により、村にヤギの餌であるウマゴヤシを植えた。これには補助金はついておらず、陝西省の企画によるもので村の請負ではないという。

もう一つ、ヤギ飼養の事例を紹介しておきたい。延安市宝塔区K村のある世帯では、調査時点で31頭のヤギを飼っていた（写真11）。この世帯は、退耕還林以前には約80頭のヤギを放牧しており（当時は村全体で2000頭のヤギがいたという）、昨年も70頭のヤギを所有していたが、密放牧が発覚し、子ヤギ7頭のみを残して強制的にヤギを売却させられてしまった。密放牧が発覚した時点で、3日以内に売却しないと没収するとの通告を受けたという。売却分の2万

写真11　現在でも密かにおこなわれるヤギの放牧

元はこの世帯がとることができたものの、罰金として９００元を支払った。放牧したヤギの方が舎飼いのヤギよりも毛並みがよくカシミヤも高く売れるほか、肉も締まりが良いという。現在この世帯では雑貨屋を営業しており、年に2〜3万の収入を得ている。その他、薬用のサソリを採集し、１kgあたり４９０元で業者に売却する。一晩の採集によって０・５kg程度とれ、年間3〜4万元の収入になる。その他、スイカや香瓜の栽培でも年６０００元ほどの収入を得ている。

〈大規模ビニルハウス栽培〉

前節に述べた安塞県のB村では土地の制約によって長さ40m前後の小規模なビニルハウスが用いられているが、河岸低地で比較的大型のビニルハウス栽培をおこなっている事例を紹介する。前述のウシ飼養をおこなっていた延安市宝塔区M村では、このようなビニルハウス栽培もおこなわれている（写真12）。ウシ飼養農家のKFさんの親戚のKSさん（32歳）は、KFさんの牛舎の裏に2基のビニルハウスを持っている。6人家族で、夫人の他、KSさんの両親と、

写真12　大規模ビニルハウス栽培

9歳の長男、４歳の長女がいる。補助金を得てビニルハウスを建設するまでは、出稼ぎで収入を得ていた。牛舎プロジェクトが始まった頃には十代で独身だったので、自ら応じる機会を得ることはなかったという。

ビニルハウスの一つは90×8メートルで、5年前に補助金6000元、自己負担4・6万元で建設した。冬場の香瓜栽培で3万元、夏のトマト栽培で1万元程度の収入を得られる。もう1基は柱のないタイプで80×7メートルとやや小規模なもので、2年前に8000元ほどで建設し、年2回の収穫で純収入は1万元程度だという。ハウス栽培の主な肥料は牛糞の厩肥だが、これをKFさんから分けてもらい、かわりに牛舎の仕事を手伝っている。

〈極端に高齢化する辺境の村〉

延川県の北部に位置する賈家坪鎮K村は、86世帯326人の村人のうち、訪問時には37世帯が現在の村に住み、他は出稼ぎで留守だとのことであった。村に残る人々は大半が40歳代以上で、高齢化がすすんでいる。村内ではかなり若い方であるというKDさん（44歳）

と夫人のMSさん（42歳）には二人の子供があり、長女（23歳）は中学を卒業した後に近郊の街（永坪）のネットカフェで働いており、母方オジの家に同居している。月収800元という。長男（16歳）は永坪の中学校の寮に住んでいる。KDさんは片耳が不自由なこともあって出稼ぎにはいかず、年収1万元ほどの農業収入で生活している。17畝ほどの畑を所有するほか、15畝ほどを請負耕作している。アワ、キビ、ジャガイモなどの最小限の自給用作物をつくるほか、現金作物としてヒマをつくっている。ヒマはこの村で盛んに栽培されており、買い取り業者がやってきて1斤あたり3元弱で売れ、1畝あたりおよそ400元分を収穫できる。ほかには壩地を1・8畝持っているほか、ブタ、ロバ、ニワトリ、イヌを飼っている。KDさん夫妻の村での生活費は月100元ほどだが、子供の生活費には月400元費やしており、子供のためには年間7000元ほどの費用が必要という。退耕還林は主に2003年と2005年に実施した。ナツメなども植えたが、病気でほとんど壊滅し、後はニセアカシアが中心である。

K村と同様に延川県北部に位置するG村は、さらに高齢化のすすむ村である。120世帯425人の自然村だが、村に住んでいるのは、43世帯104人で、あとは延川、延安、永坪、洛川などに出稼ぎに行っている。80歳以上15人、70歳代21～22人、60歳代13人。30歳代が障害を持つ1人、40歳代も夫婦1組と障害を持つ1人、計3人のみ。20歳代は1人もおらず、村の半数は50歳代という。

この村では、2003年以前には退耕還林しておらず（荒山のみ）、2004年と2006年に主に山頂部でニセアカシアを中心に420畝を退耕したが、他の地域・村に比べると小規模である。村の書記長のMNさん（53歳）の話によれば、退耕還林の対象になり得る斜面耕作地はこの谷で3000畝以上はあるだろうとの

写真13　伝統的な斜面耕作が今でもおこなわれる延川県

ことで、許可が下りればやりたいということであったが、２０１１年の時点で政府は新たな退耕還林を凍結しており、おそらく今後許可が下りることはないのではないかということであった。造林面積は1世帯あたり5～6畝くらいで、補助金は世帯当たり年１０００元ももらっていない。村を取り囲む山を見ると、山頂部まで伝統的な斜面耕作地が広がり、美しい田園景観をなしている（写真13）。退耕還林による緑被効果は明らかにあったが、一方で鳥害やネズミの食害が増えたという。高齢による人手不足で、畑はかなり余っており、放置された畑も多く、将来は自然に森林となるだろうと話した。

村人の主な収入源は農作物販売で、平均年収は1万元弱程度である。出稼ぎでは建築現場などで1日70～80元稼げる。冬は建築現場の仕事も少なく、ジャガイモでんぷんではるさめをつくるなどの生業をおこなう。G村では環境条件が合わないため、リンゴやナツメの栽培もほとんどできない。

家畜はラバ、ウシが多い。ラバは３０００～５０００元で買う。退耕前は数世帯が合計50～80頭のヤギ・ヒツジを飼っていたが、今は少ない。ブタは数世帯が1～2頭飼っているのみである。

写真14　塩類集積で不毛化したチェックダム耕地

集落の眼前の谷では300畝ほどの壩地がつくられているが、塩類化で耕作不能の状態になっている（写真14）。排水さえうまくいけば問題ないと書記長はいう。政府も壩地を新たに造成して1世帯あたり2・5畝も供給できれば、山の畑をやめさせられると考えているとのことである。

村びとの大半は出稼ぎに出ているため、畑は休閑となっており、書記長のMNさんは、これらを1人3畝ほど再配分した。2、3年前に出て行った人たちは延安、洛川、延川などに家を借り、100人くらいは家を買い、帰ってくる可能性は低いという。多くの都市移住者は商売や建築関連の仕事などをしている。

離村する若者たち

退耕還林と代替産業の成否は地域によって様々であることをみたが、どの村にも共通してみられることがあった。それは、若者の都市への流出である。非常に高い収入を上げているリンゴ栽培農家ですら、息子や娘に農業を継がせることはできないだろうという。高い収入を得ている農家の多くは、子供を村外に下宿させて中学や高校に通わせている。そのように語る人びとからは、子供に高い教育を受けさせてより良い職業に就いて欲しいという願いと、将来子供と一緒に暮らしたいという相反する願いがあるように感じられた。

B村のHさんは、2009年に長男を隣村の娘と結婚させた（賈ほか 2011）。Hさんは長男夫婦が農業を継いで自分と同居することを期待して二世代同居可能な家を改築した。長男は現在、建築見習いをしながら近郊を渡り仕事を続けているが、将来のことを聞くと村に住むことはないだろうという。同様に家を改築したHさんの隣家のLさんの家でも、長男はクレーン車運転見習いをしており、類似の状況だった。自分は家に残って農業を継ぐ、という若者はB村には1人もみられない。改築した邸宅に長男が住む機会は訪れないかもしれない。

村に残らないのは娘も同様である。B村で育った20歳前後の女性の何人かは、延安市に住んで仕事をしている。結婚して百貨店の店員をしている女性もいれば、独身で親の資金援助を得て小さなブティックを経営している女性や、やはりレストランで働く女性など、様々である（佐藤 2012、佐藤ほか 2012）。彼らはいずれも、村に戻る意思はなく、街で仕事を続けながら暮らしていくことを望んでいる。

黄土高原農村の将来

21世紀に入って、中国の農業・農村政策は大きく変わった。1990年代まで課していた農業に関する税の多くを廃止し、市場で作物を売る際にも免税とするなど、過去にあった農民の負担を軽減し、同時に本章で触れたように多くの農村振興策を施し補助金を投じるなど、従来都市民に比べて不利とされてきた農村の人びとを優遇する様々な政策を実施してきた。農村の深刻な貧困問題は環境保全の障害になるだけでなく、政権の安定をも揺るがす要素であると指摘されてきた状況を顧みると、政府の政策転換は合理的なものといって良いであろう。

そうした政府の政策転換とともに、都市部を中心とする急速な経済成長の影響を受け、農村の暮らしも急速に変わっていった。1970年代末に始まる改革開放以降の変化も大きかったに違いないが、農村の人びとが出稼ぎなどを通してある程度の現金を手にするようになり、テレビや冷蔵庫などの電化製品や三輪トラック、自動二輪車などを各世帯で所有するようになったこの十年の変化はきわめて急激であり、日常生活のあり方を大きく変えつつある。

政府の様々な農村振興策にもかかわらず、農村では若者の人口流出がもはや不可逆的なものとなり、30～50歳代の中堅世代も村外での現金収入を求めて離農傾向が顕著にみられる。このまま人口流出と離農が進行すると、村の生活維持は困難になるかもしれない。こうした状況は、高度経済成長期の日本の農山村に近いものかもしれない。

しかし、毎年黄土高原を訪れ、人びとの動きを追っていくと、当時の日本の状況とは異なる側面があることに気づく。高度経済成長期の日本では、若者が離村すると東京をはじめとする都市に定着し、再び故郷に戻る人はまれであったろう。黄土高原の人びとは、多くが近郊都市への移住であり、村との関係は切れていない。

事実、ふだんは若者の姿が見られないB村でも、冠婚葬祭などの際には多くの人びとが村に集まって行事に参加する。まだ今の時点では、村の社会関係は継続しているのである。

過疎化と耕作放棄が今後も進行し、造林地の手入れをする人がいなくなって荒れたとしても、過耕作や過放牧がエスカレートする状況よりは黄土高原の環境保全のためには良いのかもしれない（現に、政府はそれを是としているふしがある）。あるいは今後の中国経済の状況によっては、再び農村に人びとが戻ってくる可能性もあるかもしれない。そういう状況が再びやってくるのか、そうだとすればいつなのかは現在の筆者にはまだ予想がつかないが、その時のためには、現在人びとがもっている生業技術や社会関係を継承する装置が必要だと思われる。

〈文献〉

賈瑞晨・佐藤廉也・縄田浩志・松永光平・劉国彬・張文輝・山中典和（２０１１）「中国・黄土高原の結婚式　―伝統と変容の一断面―」比較社会文化17: 17-35.

侯慶春・杜盛・山中典和・大槻恭一（２００８）「黄土高原での緑化はどうすればよいか？」山中典和編『黄土高原の砂漠化とその対策』古今書院、214-235.

佐藤廉也（２０１２）「グローバル化と環境問題―黄土高原の退耕還林―」小林茂・宮澤仁編『グローバル化時代の人文地理学』92-109. 放送大学教育振興会.

佐藤廉也・賈瑞晨・松永光平・縄田浩志（２０１２）「退耕還林から10年を経た中国・黄土高原農村―世帯経済の現況と地域差―」比較社会文化18: 55-70.

関良基・向虎・吉川成美（２００９）『中国の森林再生―社会主義と市場主義を超えて』お茶の水書房.

Low, B.S.(1996) Behavioral ecology of conservation in traditional societies. *Human Nature* 7(4): 353-379.

Smith, E.A. and Wishnie, M. (2000) Conservation and subsistence in small-scale societies. *Annual Review of Anthropology* 29: 493-524.

第6章

アジア乾燥地帯の砂漠防止・緑化支援としての送粉ハナバチ類

多田内　修

はじめに

私はこれまでアジア乾燥地域へのハチ目昆虫であるハナバチ類の海外調査プロジェクトを3回実施してきた。1回目は1995から1996年の中国（甘粛省、青海省他）、2回目は2000年から2004年まで中央アジア（カザフスタン、キルギスタン）と中国（新疆ウイグル自治区）、そして3回目は2012年から始まり中央アジア（ウズベキスタン、キルギスタン）をフィールドとし、現在も継続中である。このプロジェクトでは、主として半砂漠化地域の植物に送粉（花粉媒介）する野生ハナバチ類の多様性と地理的分布を明らかにし、営巣習性や訪花植物等の生態を調べ、これら有用昆虫の保全のための提言を行うことが目的である。

2013年8月にキルギスタンにあるイシククル湖を訪れた。面積は琵琶湖の9倍と言われ、標高約1600メートル、山岳湖では世界で2番目に大きい。この湖には、その年の5月に続いて3回目の訪問であったが、北岸から初めてカザフスタンの国境方面に入った時のことである。通常夏の高原では多数の花が咲き、それに訪花し送粉するハナバチ類も多数飛んでいると予想していた。ところが湖から細い谷筋を抜けてたどり着いた開けた高原は、羊、馬、牛の大放牧が行われていて、植物という植物は食い荒らされ、残っているのは家畜の食べないとげの多いアザミ類やラクダソウなどの植物のみであった。その高原には数件農家があり家の回りには畑が作ってあった。畑の周囲は塀で囲ってあり家畜が入れないようにしてあったが、その空間だけは、唯一キク科のシオン類やマツムシソウをはじめ多数の野生植物が繁茂していて、これがもとの植生なのだと納得が

図1　羊の過放牧（カザフスタン）

いった。本来ならばこのような植生が高原一面にみられるはずなのだが、過放牧の現実をまざまざとみせつけられたのである。当然のことながら、野生植物に訪花し送粉するハナバチ類もわずかしかみられなかった。

砂漠化の原因は自然的要因が13％、人為的要因が87％と言われ、前者は地球規模での気候変動、長期の旱魃、降水量の減少と乾燥化が含まれる。それに対して圧倒的に多い後者には、過放牧（図1）、過伐採、過開墾、過灌漑等による人間活動が入り、その結果、土壌浸食、水食、風食が起こり砂漠化に進むとされる。砂漠化の影響を受けている土地の面積は地球上の全陸地の約1／4、耕作可能な乾燥地域の約70％に当たる約36億ヘクタールに達し、世界の人口の約1／8、約9億人がその影響を受けているといわれる。特にアジアは砂漠化地域の割合が最も高く、36・8％に達している。アジアの43億ヘクタールの総面積のうち、地中海沿岸から太平洋岸に至るまで、17億ヘクタールの乾燥・半乾燥、乾燥半湿潤地が含まれる。アジアの乾燥地の砂漠化は、中央アジア・中東の放牧

図２　塩類の集積（カザフスタン）

地の過放牧、中国・中央アジア・イラクなどでの大規模な塩類集積（図2）などによって特徴づけられる。また、中国などに発生した土地の劣化の多くは森林の過伐採や過栽培が原因と言われている。急速に拡大している人口と限られた土地資源は、アジアの発展途上国にとって砂漠化防止が困難な状況になりつつある。中央アジア諸国（カザフスタン、キルギスタン、タジキスタン、トルクメニスタン、ウズベキスタン）では、干ばつと砂漠化の深刻な影響を受けており、アラル海プロジェクトのように、砂漠化防止や土地劣化との闘いにむけて国を超えての地域協力もみられるが、まだまだ不十分である。

ハナバチ類とは

昆虫のハチ類の中にミツバチを含むハナバチ類という一群がある。英語では wild bee または、単に bee と呼ぶ。名前のように花に訪花し、花粉と蜜を集め、その時に同時に花の送

写真3　花粉採集するヒメハナバチ科 *Andrena rosaceae*（キルギスタン）

粉が成立するのである。そして主として地中に掘った巣の中に花粉と蜜を持ち帰って、花粉団子を作りその上に産卵する。孵化した幼虫は地中でその花粉団子を食べて成長する。成虫は花から花粉と蜜を集めるために、適応的な形質を進化させてきた。一つは蜜を吸いやすいように長く延びた中舌で、ムカシハナバチ科では花粉を蜜とともに飲み込み胃内に入れて巣に運ぶメンハナバチ類と、短いハート型の中舌しかもたないムカシハナバチ類とがある。もっとも進化したミツバチ科の中には体長の2倍の中舌を持つ中南米産のシタバチ類のようなグループもある。この中舌のはたらきにより、花から強力に蜜を吸い上げる。もう一つは花粉を巣に運ぶための運搬毛が発達していることである。通常の体毛とは違って、主として後脚や腹部下面に花粉が付着しやすいように羽毛状の特殊化した毛がまとまって生えている。ミツバチではさらに進化して後脚にある脛節という一つの節が花粉籠（花粉バスケット）と呼ばれる特殊な構造になり、その中に効率よく大量の花粉を詰めて運べるようになっている。ハナバチ類は世界で7科（9科とする研究者もある）約2万2000種が知られ、北米で4000種、ユーラシア大陸で

写真４　訪花したコハナバチ科 *Halictus brunnescens*（カザフスタン）

４０００種、南米で７０００種、アフリカ大陸で４０００種、オーストラリアで３０００種が報告され、今後も南米、アフリカ、中央アジア、オーストラリアなどから新種が多数報告されると考えられている。生物は一般に低緯度地域の熱帯に多様性が高く種数が多いのが普通だが、ハナバチ類は温帯乾燥地域に適応した分類群と言われ（Michener, 2007）、世界の乾燥地域、例えば北米西部、アルゼンチン北部、南アフリカ、オーストラリアの一部、地中海沿岸、中近東、中央アジアの半砂漠やステップには多数のハナバチ類が生息している。これらの地域に比べると、湿潤気候である日本では種数は比較的少なく、約４００種しか生息していない。

前述のように、ハナバチ類は花を訪れて花粉や蜜を集めている間に送粉を行う（図３、４）が、訪花性は大きく２つに分けられ、比較的多くの植物を無差別に訪れる広訪花性と、狭い範囲の植物のみを訪れる狭訪花性とに分けられる。極端な場合には北米のヒメハナバチ属の一種のように、夜明け前に開花するマツヨイグサのみに訪花し、そのため日の出前後にしか活動しない種もある。また、前述のシタバチ類とランの花との関係は古くから知られており、シタバチのそれぞれの種のオスがランの種特異的な匂い（成分の性質と混合の比）に誘引されて匂い物質を後脚の収用器に集め、一方ではランが巧妙に準備した花粉塊を体に付着させて送粉を行う。つまりある一種のシタバチはある一種のランにしか訪花しない。この関係はランの隔離機構として機能している。世界の農作物の送粉の35％はハナバチ類等によって行われると言われており、リンゴにはマメコバチ、イチゴにはセイヨウミツバチ、トマトにはセイヨウオオマルハナバチ、牧草にはアルファルファハキリバチが利用され、また農作物だけでなく砂漠緑化を含む生態系サービスにおいても送粉昆虫は重要な役割を担っているのである。

ハナバチ類の減少と送粉サービスの危機、その取り組み

動物によって送粉される被子植物は、世界全体で30万８００６種、87・5％という報告がある。特に熱帯では単独の動物によって送粉される特化した植物の割合が増加しているといわれる（Ollerton ほか、2011）。動物媒介による農作物の依存度、すなわち送粉者（花粉媒介者）による生態系サービスの値（世界の主要農作物が送粉者により生産をあげている割合）は世界で75％、経済的に年間１５３０億ユーロ、世界の農業生産額の９・５％とも言われており、無視できない数字である。

近年アメリカやヨーロッパでのミツバチの減少、ヨーロッパでのマルハナバチや蝶の減少を契機として、健全な送粉システムの重要性や、作物や野生植物の送粉者であるハナバチ類などの保全が叫ばれるようになって

きた。送粉システムの危機は、ミツバチやハナバチ類の減少によって明らかであり、大部分の陸域生態系の機能を維持する上で、植物－送粉者の相互作用が重要な役割を持っていると考えられる。しかし、現状ではこの相互作用を積極的に保全しようとする考え方はまだ十分に理解されていない。送粉システムを減少させる人為的原因、すなわち生息地の断片化、土地利用の変化、近代的な農業慣行、殺虫剤や除草剤などの化学物質の使用、外来の植物や動物、病気の侵入等に注意を払い、作物や野生植物の送粉者の多様性をさらに回復増加させていく必要がある。

送粉者の減少の懸念に対して、各国政府や生物多様性条約等の組織は、近年送粉者を保護するための取り組みを立ち上げている。国際的な送粉者イニシアティブ（取り組み）は、２０００年の生物多様性条約締約国第5会議によって設立され、「送粉者多様性の世界的な減少の問題に対処する緊急の必要性」を宣言した。これらの取り組みは送粉者に対する危機というよりも送粉者が送粉する作物についての危機であり、人類は食糧の１／３が直接間接に動物の送粉に依存していることを認識させるものであった。この宣言の目的は、（1）送粉者の減少とその原因、および送粉サービスに対する影響を監視する、（2）送粉者の分類学的情報の不足に対処する、（3）送粉の経済的価値と送粉者と送粉サービスの減少の経済的影響を評価する、（4）農業および関連する生態系の送粉者の多様性の保全、回復及び持続可能な利用を推進する、ことであった。その結果、17カ国が参加したヨーロッパ送粉者イニシアティブをはじめ、北米送粉者保護キャンペーン、アフリカ送粉者イニシアティブなどいくつかの地域的な取り組みが行われてきている。ヨーロッパでは、マルハナバチと蝶の減少に対する懸念が分布変化を追跡する大きな取り組みとなって進められてきた。

この送粉サービスの低下については様々な研究が行われているが、英国とオランダのハナバチ類とハナアブ類の送粉群集の変化を追跡した研究がある（Biesmeijer ほか，2006）。両国の１９８０年以前と以後の多様性に関して約１００万のデータをもとに10×10キロメートルの区画で比較したところ、全体としてハナバチの種の豊富さ（種数）は、英国で52％、オランダで67％減少した。送粉者の減少は狭い生息地に生息する種、花を特異的に利用するスペシャリスト種、一化性（年１回発生）種で最も高いことがわかった。単独で生活するハナバチ類の中で、食糧源として少数種の花を用いる狭訪花性種は、英国で大幅に減少しており、長い中舌をもつハナバチ類は、オランダで大幅に減少していた。また、移動性の少ない種もその可能性があるという。さらに、英国では、ハナバチ類を送粉者として依存する異系交配植物は、平均して減少していた。一方、非生物的（風や水媒介）送粉依存種は増加し、自家受粉種はその中間を示した。この研究は、生物群集内のリンク要素、すなわち、スペシャリスト種のハナバチとそれによって送粉される異系交配植物が減少していることを示している。つまり、ある地域での植物と送粉者の絶滅の間に強い因果関係があることを示唆しているのである。特に懸念されるのは減少や絶滅が群集レベルで連続的におきる可能性があり、生物群集が衰退すると、直接的または間接的にそれらに依存している他の種も引き続いて減少を引き起こす可能性があるということである。

このような背景のもと、私自身はハナバチ類の分類学が専門であることから、国連食糧農業機関（ＦＡＯ）がとりまとめ役となった、世界のハナバチ類カタログ作成プロジェクトに加わり、アジアのハナバチ類のリスト作成に携わった。また、熱帯・温帯アジア地域では環境省環境研究総合推進費プロジェクトに加わり、日本産ハナバチ類図鑑の編集、アジア産クマバチ類データベース構築、熱帯アジア産ハナバチ類画像データベース構築、アジア産ハナバチ類ＤＮＡバーコードデータベース構築等を進めてきた。特にアジア温帯乾燥地域に関しては、ハナバチ類の多様性研究と生態調査などを近年集中的に行っている。

人為的撹乱と過放牧がハナバチ類に及ぼす影響

冒頭に記したキルギスタンのイシククル湖岸での過放牧は、乾燥地域での人為的撹乱の代表的な例である。２０１４年6月にもキルギスタンの天山山脈山中で調査を進めたが、大草原の発達しているカザフスタンと違い、山岳国であるキルギスタンは草原が少なく、その少ない草原は羊、牛、馬、ヤクの過放牧の影響が極端に現れ、草丈が数㎝の平原や斜面となっており、開花植物が食われて少なくなり、ハナバチ類も多くなかった。過放牧により、草原の植物と訪花性昆虫類の多様性が減少し、その結果、土地が痩せ、乾燥地化、半砂漠化のプロセスが進んでいるのを直接目で確かめることができた。中部のナルイン西部、イシククル湖南部は特に乾燥地化が強く現れ、半砂漠化していた。ただ

図５　過放牧の採餌から逃れたトゲのあるマメ科植物（キルギスタン・イシクク湖南部）

図６　マメ科牧草イガマメに訪花するヒメハナバチ科 *Melitturga clavicornis* ♀（キルギスタン）

し、刺のある植物（アザミ、マメ科（図5）、バラ科、ヒツジグサ他）は家畜の摂食から逃れ生育し、また牧草用のマメ科植物イガマメの栽培が盛んで（図6）、かろうじてこれらの植物が訪花性ハナバチ類の維持に貢献していた。しかし、これらの植物に訪花するハナバチ類の種数は多くはなく、明らかに多様性が減少していた。

草原は長い間農耕と放牧のために利用されてきたが、近年生物多様性の維持においてその価値が認識されてきている。害虫防除でも近年は総合的生物多様性管理という考え方が提唱され始めている。管理草地は伝統的に、高い生物多様性と絶滅危惧種を多く含むことによって特徴付けられてきた。しかし、草原の過度の利用は、前述の私の経験のように、生物多様性と生態系機能を減少させている。過放牧は草原の植物群落構造、バイオマス、種構成を変化させ、送粉者を減少させている。全体的には、放牧強度と期間、草食動物の種（シカ、ヤギ、羊、牛、ヤク、等）、生息地のタイプがハナバチ群集への影響の程度を決定している。過放牧が強い地域では、ハナバチ類が減少していることが世界各地で報告されている。英国では過放牧が無脊椎動物の減少を引き起こしていることがよく知られている。マルハナバチは農業環境の健全性を評価する上で好ましい生物的指標種とされている。

中国の四川省宏源周辺で行われたチベット人によるヤクの集中的な放牧によるマルハナバチの減少研究（Xie ほか、2008）がある。チベット高原の東縁に位置する四川省西部は、世界のマルハナバチ類の多様性が非常に高いホットスポットの一部とされているが、近年放牧地の人為的撹乱が非常に顕著になっている。１９９０年代後半以来、多くの地方で遊牧から定住生活に変更するチベット人が増え、家畜の繁殖方法等の管理様式がかなり変わってきた。放牧地は家族に割り当てられ、一部の地域は開放され自由に放牧されるようになった。その結果家畜が増加し、放牧地の50％以上は過放牧になっている。研究の結果、夏の過放牧が植物の丈の高さを低くさせ、マルハナバチ訪花植物とマルハナバチの多様性が大幅に減少していることが明らかになった。特に4種のマルハナバチ（*B. supremus, B. filchnerae, B. humilis, B. impetuosus*）の減少は、訪花植物である *Hedysarum*（マメ科イワオウギ属）と *Saussurea*（キク科トウヒレン属）の減少と関連が深いという。これらは夏の放牧の結果顕著に減少したマルハナバチ類が最も頻繁に訪花していた植物であり、長い花冠を持っていることで特徴づけられる。花冠の長さはマルハナバチが花を選択する際に最も重要な因子で、英国のマルハナバチの減少では特に重要と考えられ、マメ科植物の減少が要因であるとされている。マルハナバチは、餌資源に飛んで行くのに採餌場所が分断されている場合には長い距離を飛行するだろうと推測されてきた。しかし、野外での観察では、マルハナバチの飛行距離は単に数１００メートルという報告があり、マルハナバチが訪花植物や営巣地に選好性が強いことを考えると、好ましい生息地が断片化されると、劣化した農地ではマルハナバチが減少する可能性が高くなると言えそうである。

過放牧によるモンゴル草原の劣化も世界的に関心を集めている。モンゴル草原での生物多様性の相互作用の一例として、放牧が送粉に及ぼす影響を明らかにした研究がある（Yoshihara ほか、2008）。１９９２年の市場経済への移行に伴って、一部カシミヤへの強い需要もあり、モンゴルでは家畜が増加している。家畜の総数は１９００年代初頭に約１０００万であったが、現在では３０００万以上に増加しているという。この研究ではモンゴル東部の草原に放牧強度の違う3つの調査地を設立している。各調査地では、6月と8月に昆虫によって送粉される植物を記録し、送粉者の採餌行動を観察した。昆虫送粉植物種の豊富さ（種数）は放牧が軽度の調査地では最も高く、多様な送粉種との複雑な関係を形成していた。放牧軽度の調査地と放牧の中間的な調査地に共通にみられる植物は過度の放牧調査地では育っておらず、そこでは少数の草本植物のみが支配的に生育していた。これらは、植物体上に毛があるカブムラサキ *Myosotis caespitosa* や、匍匐性のキク科植物 *Heteropappus hispidus*、ロゼット種のキク科植物 *Saussurea salicifolia* などで、家畜にとってはまずいか利用されず採餌から逃れていた。過放牧の調査地では、カブムラサキなどの荒地植物のみが過放牧から生き残り、送粉者がこれらの植物に集中し、その結果送粉者とのアンバランスな強い結合をもつ単純な植生ができた。中間的放牧調査地では、羊やヤギが主に放牧され、そこでは選択的に草本植物が食べられていた。その結果、昆虫による送粉植物相が劣化し、送粉者も減少した。過放牧は生態学的機能を弱め、草本植物相の貧困化と、その結果として広い範囲にわたって送粉機能が弱体化していることを示した。さらに、過放牧は総相互作用を減少させ、採餌から逃れた少数の植物とハナバチの関係のみが強化されたと結論している。

このように、放牧の管理強度が増加するに従い種の多様性が減少するため、管理強度を軽減させることが、生物多様性の長期的な保全のためのツールになるとされている。Kruess & Tscharntke (2002) は、放牧強度の異なるドイツの３つの草原で植物相や動物相の多様性を分析し、草原の放牧強度を減少させると、蝶の成虫、孤独性ハナバチ類、スズメバチとその天敵の数が増加すると報告している。過放牧は植物-昆虫の相互作用を崩壊させ、昆虫群集に大きな影響を与える。放牧地と数年間の未放牧地をモザイク状に広範囲に配置することが、生物多様性と相互作用の強度を維持する好ましい手段であると考えられる。

アジア乾燥地域のハナバチ類の多様性

砂漠の生物多様性は一般に貧困といわれるが、昆虫のグループによっては、高い多様性を示すグループもある。我々が主に調査したカザフスタンでは現在までに、５５０科の昆虫が知られ、そのうち約１００の科、種レベルで40%以上がよく調査され、カザフスタンの砂漠から３８２０種の昆虫が発見されている。九大を中心とする我々の第二次プロジェクトでは、計5回のカザフスタンを主とする野外調査を行ってきた。北部から中部には乾燥したステップ・中程度の暑い砂漠または半砂漠が広がり、中部から南部にかけても乾燥し、暑い砂漠が広がっている。南部は天山山脈の支脈があるが高原も乾燥していて暑い。カザフスタンの砂漠には砂砂漠、粘土砂漠、礫砂漠、砂利砂漠、塩砂漠等様々な砂漠があり、砂漠化防止を目的とした様々な取り組みが行われてきた。緑化活動は継続して行われているが、砂漠や半砂漠化地域の植物に送粉する訪花昆虫類の基本情報は不十分である。ハナバチ類は半砂漠化地域植物の送粉に非常に重要な昆虫であることから、我々の野外調査はハナバチ類の採集と平行して、営巣地や訪花植物の生態調査を進めた。

ハナバチ類は前述のように、熱帯よりも温帯の乾燥地域に多様性が高いと考えられている。地中海沿岸と中央アジアは旧北区のハナバチ類の多様性の中で最も重要なセンターであり、特に後者は情報が最も少ない地域とされてきた。ロシアのモラビッツは、１８６９年から１８７１年にかけてフェチェンコの行った中央アジア（現在のウズベキスタン、タジキスタン、キルギスタン、カザフスタン）の探検によってもたらされたコレクションに基づき36属４８３種のハナバチ類を記録した。しかし、それ以降十分な調査は行われておらず、中央アジアは分類、生態の両分野でハナバチ研究の大きな空白地帯となっていた。そこで我々は「アジア乾燥地域における砂漠化防止・緑化支援のための野生ハナバチ相調査と送粉生物学」と題したプロジェクトを企画し、２０００年の予備調査を含めて、２００２年から２００４年にかけて中央アジアと中国西北部で野生ハナバチ類の基本的な情報を蓄積するための調査を行ったのである。特にカザフスタン科学院動物学研究所と連携し、共同調査を進めた（図７）。我々のプロジェクトの目的は、１、半砂漠化地域での有力な送粉昆虫類の探索と発見を行う、２、半砂漠化地域でハナバチ類を採集し、その分類学および生物地理学的な研究を行う、３、有用なハナバチ類の送粉と営巣の生物学的研究を行う、ことであった。第2次プロジェクトの調査では約2万５０００個体の大量のハナバチ類を採集し、カザフスタンの半砂漠化地域と草原でハナバチ類が送粉に重要な役割を果たしていることを実証した。さらに、２０１２年から始まった第3次プロジェクトでは、ウズベキスタン、キ

図７　カザフスタン動物学研究所。故 Kastcheev 教授とともに

ルギスタンに調査地を拡大して、野外調査を進めている。第3次プロジェクトでは、これまで記してきたように過放牧のハナバチ類に対する影響について調べを進めている。

動物の分布は世界で旧北区、エチオピア区、東洋区、オーストラリア区、新北区、新熱帯区の６つの動物地理区が提唱されている。日本は南西諸島が東洋区、他の日本本土は旧北区に属する。この動物地理区はさらに細かく分割され、旧北区では日本本土が含まれる日華亜区のほか、ヨーロッパ・シベリア亜区、トルクメン亜区、地中海亜区の４つに分かれる。我々の調査地であるカザフスタンやキルギスタンとその周辺の中央アジアは大部分がトルクメン亜区に入っている。つまり、日本とはかなり異なった動物がいるということである。私の専門のヒメハナバチ科ヒメハナバチ属は世界で約１５００種を含む大属で、旧北区は最も種数が多く９３０種以上が報告されている。これまで中央アジアから記録された１００種余りのうち、日本との共通種は、わずかに４種、韓国とは２種のみである。中国との共通種もいまのところあまり多くなく12種しか知られていない。中国とカザフスタンの国境近くにはタクラマカン砂漠や天山山脈があり、これらが地理的障害になっている可能性がある。新疆ウイグル自治区の北部は車で国境を楽に行き来でき地理的障害はあるとは思えないが、北部になるとヨーロッパ・シベリア亜区の区域になる。ヨーロッパ大陸の昆虫は、氷河時代にヨーロッパアルプスやピレネー山脈が東西に横たわることから暖かい南ヨーロッパに南下できずに多くが絶滅した。その後地球が暖かくなった時期には、一部の昆虫はヨーロッパ南部からも北上したが、大部分は東のアジア地域、特にシベリア方面から多くの種が入り込んだと言われる。その結果、ユーラシア大陸の北部にまたがる広大な地域が、動物地理区上ではヨーロッパ・シベリア亜区となって共通種が多いのである。日本北部に分布する昆虫類はシベリアから樺太経由で北海道に入り、北海道のほか本州中部山岳地帯に分布する種も少なくない。これらの中にはシベリアを仲立ちとしてヨーロッパとの共通種も多くある。

我々の採集したカザフスタンのヒメハナバチ属について、周辺地域との共通種を博士課程に在籍していたエジプトの留学生モハメッド・シェーブル君（現在スエズ運河大学）に調べてもらった。ヨーロッパとの共通種は、37種でもっとも多く、ウズベキスタン22種、コーカサス22種、地中海15種、タジキスタン14種、トルクメニスタン9種であった。もちろんまだこの地域のハナバチ類の多様性の研究は十分にできていないが、現状ではトルクメン亜区のハナバチ類はヨーロッパとの共通性が高く、さらにこの地域独自の固有種が多く含まれるということであろう。カザフスタン北部はヨーロッパ－シベリア亜区に属することから、この傾向は考えてみれば当然のことと言えるかもしれない。ただし日華亜区との共通性がかなり低いという特徴がある。ロシア・サンクトペテルブルグにあるロシア科学院動物学研究所にはこまで3回訪問して、中央アジア産のタイプ標本

（新種記載の際にもとになる標本）を調査に行ったが、それと同時にヨーロッパ産のハナバチ標本を調べるためにその集積があるオーストリアのリンツ自然史博物館を何度も訪問してきた。中央アジアのハナバチ類を調べるには、ロシアとヨーロッパの標本調査がともに必須であるのだ。

前述のように中央アジアは世界でもハナバチ類の多様性の高い地域の一つと言われており、その多様性研究には世界から注目が集まっている。しかし、これまでの調査をふりかえり中間的な感想を言えば、多様性は思ったほど高くないのではないか、と考えている。乾燥地域、広大な草原ということで、ハナバチ類の多さは予想できるし、確かに個体数は圧倒的に多い。我々がこのプロジェクトでこれまで採集したハナバチ類の個体数は3万個体に近い。日本でハナバチ類の発生する4月から10月までの7ヶ月間に10日おきに定期調査を行うと、地域によって多少の違いはあるが通常約3000個体が採れる。中央アジアでは、わずかな調査回数だけで日本で1年で採れる個体数の10倍が採集されているのだ。如何に個体数が多いかが想像できると思う。2013年までの中央アジアプロジェクトで採集したハナバチ類標本はすべてBeeCAsiaという標本データベース（図8）に登録している。まだすべての種が同定できたわけではないが、大属のヒメハナバチ科ヒメハナバチ属やコハナバチ科コハナバチ属などをみてみると、優占種と考えられる一種の個体数がとんでもなく多いのである。群集の多様性を測るもっとも簡単な尺度は、種の豊富さと個体数の種間配分である。前者は種密度、すなわち一定面積当りの種数で種密度とも言われる。一方後者は種数が多くても、そのうちの1種または数種の個体数が非常に多く残りの種の個体数が少ない場合と、同じ種数でどの種の個体数もほぼ等しい場合には、後者の方が高い均衡性を持ち、より複雑な群集ということになる。我々のデータでは、ヒメハナバチ属の種が3768

Andrena pilipes Fabricius ヒメハナバチ科(カザフスタン)

中央アジア産ハナバチ類標本データベース(BeeCAsia)にようこそ!

English page is here

中央アジア産ハナバチ類標本データベース（BeeCAsia）は、九州大学農学研究院昆虫学教室所蔵されている中央アジア産ハナバチ類標本データベースです。BeeCAsia は多田内修九州大学教授が科学研究費（海外学術調査）により2000年より2004年および2012年より2014年にかけて実施した計８回のカザフスタン、キルギスタン、ウズベキスタンおよび中国新疆ウイグル自治区の調査で採集したハナバチ類標本コレクションに基づいています。標本データ数は未発表の標本データを除き2014年1月末現在24,011件あり、世界的にも貴重なコレクションとなっています。これらのデータはいずれもGBIF（地球規模生物多様性情報機構）の標準書式 Darwin Core に従って作成され、学名、採集年月日、採集地、採集者等26項目を収録しています。

他のハナバチ類データベースとして下記のものがあります。
HANABACHI（日本産ハナバチ類画像データベース）
TABR（熱帯アジア産ハナバチ類文献データベース）
ELKUType（九州大学昆虫学教室所蔵のタイプ標本データベース）
BeeELKU（九州大学昆虫学教室所蔵ハナバチ類標本データベース）
BeeFukuda（福田弘巳博士寄贈ハナバチ類標本データベース）
BeeFTadauchi（外国産ハナバチ類多田内修標本データベース、中央アジア産を除く）
ABeeBOL（アジア産ハナバチ類DNA バーコードデータベース）

BeeCAsiaは、テキストデータベース管理システムSIGMAにより運用されています。

本データベースは日本学術振興会の科学研究費基盤研究(A),科学研究費研究成果公開促進費（データベース）、科学技術振興機構（生物多様性データベース）の補助を受けています。

本データベースは、研究・教育用に無料で公開しています。

- 中央アジア産ハナバチ類標本データベースの検索
- 使用方法
- データの項目
- レコードの実例
- 参考資料
- 著作権
- 連絡先
- リンク

図８　中央アジア産ハナバチ類データベース BeeCAsia

個体採れているが、そのうち優占種である*Andrena flavipes*は1111個体（29％）、また、コハナバチ科コハナバチ属の種が1万4562個体採集されたうち、優占種の*Lasioglossum marginatum*は1万307個体（71％）であった。コハナバチ属で第2、第3に多い種は、*L. algirum*の690個体（5％）と*L. xanthopus*で221個体（2％）であった。つまり、中央アジアではハナバチ類の個体数は非常に多いが均衡性はあまり高くないと思われるのである。高緯度になるほど種数は少なくなり、逆に1種の個体数が多くなるのは生物一般の傾向であるが、温帯乾燥地域に多様性の高いハナバチ類では多少違った傾向があるものと思っていた。まだプロジェクトは続いているので、この問題については今後の調査結果を待って結論を出してみたいと思っている。

アジア乾燥地域のハナバチ類の分類と生態

ハナバチ類は7科が知られている。中央アジアのハナバチ類は、前述のようにロシアの研究者モラビッツ以降、散発的な研究は行われてきたが、十分な調査が行われておらず、広大なユーラシア大陸温帯の中では研究の空白地帯となっていた。ソ連崩壊後は比較的調査もやりやすくなったのを機会に、我々は2000年の予備調査からこの地域への調査を開始した。2013年までの調査で得られたハナバチ類の総個体数は、2万8688個体で、そのうち最も個体数の多かった科はコハナバチ科で1万9002個体であり、採集個体数全体の66%を占め圧倒的な数を占めている。次がヒメハナバチ科（3828個体、13%）で、以下、ミツバチ科（3426個体、12%）、ハキリバチ科（1342個体、5%）、ムカシハナバチ科（952個体、3%）、ケアシハナバチ科（24個体、1%）の順であった。緯度の近い北海道のハナバチ相と比べると、コハナバチ科の占める比率が高く、ミツバチ科が少ないのが特徴であった。これはマルハナバチ属の個体数が少なかったためと考えられる。また属レベルで個体数の多かったのは、コハナバチ科コハナバチ属 *Lasioglossum* で1万4562個体（51%）、ヒメハナバチ科ヒメハナバチ属 *Andrena* が3768個体（13%）で、この2属で全体の64%を占めた。ともに温帯のハナバチ類の中では種数、個体数ともに最も多いグループである。コハナバチ類は多くが春から秋まで活動するため採集個体数も多くなるが、ヒメハナバチ属は主として春から初夏にかけて出現する。我々のプロジェクトで得られた中央アジア産ハナバチ類コレクションは、ロシアのサンクトペテルブルクの動物学研究所に次いで現在では世界でも有数の充実したコレクションになっている。このコレクションに基づいてヒメハナバチ属（Tadauchi, 他、7編）、ミツバチ科キマダラハナバチ属 *Nomada*,（Mitai & Tadauchi, 1編）、マルハナバチ属 *Bombus*（Williams, 1編）、ムカシハナバチ科ムカシハナバチ属 *Colletes*（Kuhlmann, 1編）、コハナバチ科 *Seladonia* 亜属（Dawut & Tadauchi, 4編）などの成果が公表され、このうちムカシハナバチ属とマルハナバチ属は大英自然史博物館の研究者が研究したもので、九大のコレクションが世界的にも注目されるようになってきていると言える。また、最も個体数の多いコハナバチ科のほかハキリバチ科については、プロジェクトの分担者である村尾竜起君（九大理学研究院）が研究し、その概要は国際昆虫学会議（韓国、２０１２年）等で発表され、論文も近々公表される予定である。今後中央アジア産ハナバチ類の全貌や他の分布地理亜区との関係性もより明らかになってくるであろう。私の研究分野であるヒメハナバチ属については、２０００年代以降は中央アジアでは日本人の論文が最も多くなっている。これまで１１０種を報告し、なお新種として記載予定の種が30種以上ある。

生物の迅速かつ正確な同定のためには、特殊な形態学的専門知識に依存しない、新しいアプローチが求められている。近年、特定部位の短い塩基配列を用いて生物の検索・同定を行うＤＮＡバーコーディングの手法が提唱され、昆虫を含む動物ではミトコンドリアＤＮＡ ＣＯⅠ遺伝子の約６５０塩基対が標準的なバーコード領域として採用されている。ＤＮＡバーコードを利用した同定システムが確立されれば、分類の専門家に頼らず、また未成熟個体や組織片であっても迅速に同定できるようになる。さらに種に固有のＤＮＡバーコードを統合検索のためのキーワードとして用いれば、世界中に分散する多くのデータベース群から必要な情報を選び出し

図9　半砂漠化地域で緑化植物として注目されるギョリュウ（カザフスタン）

て利用することが可能になる。2013年10月に中国昆明で開催された第5回DNAバーコード国際会議では昆明宣言が採択され、DNAバーコードと生物多様性科学の推進、そのトレーニングの国際的な支援、国際協力の支援等が盛り込まれた。昆虫のDNAバーコードに関しては、一部昆虫類（チョウ、衛生昆虫のカなど）では進んでいるものの、大部分の昆虫類ではこれからという状況である。ハナバチ類に関しては私も出席したカナダ・トロントでの国際推進委員会BeeBOLで、世界のハナバチ類のDNAバーコードを積極的に登録していくことが申し合わされた。我々は日本だけでなく、東アジア、中央アジアで採集した標本を用いて現在解析を進めている。2012年からアジア産ハナバチ類DNAバーコードデータベースABeeBOLの公開を始めており、今後多くの中央アジア産ハナバチ類のDNAバーコードが明らかになる予定である。

我々のプロジェクトでは、採集法として黄色い水盆を用いるイエローパントラップ法、スイーピング法（すくい採

図10　５月中旬から６月に開花するセイヨウアブラナ草原での調査（カザフスタン）

り）なども取入れたが、花に訪花しているハナバチを見つけて採集する見つけ採りを主な採集方法とした。そのため、採集個体にはできるだけ訪花記録も付けるようにしていた。

熱帯林の送粉にはハリナシバチやクマバチ類が大きく貢献している。アジア乾燥地帯の半砂漠植物の送粉にはどのようなハナバチがかかわっているのであろうか。代表的な3つの植物について、その訪花ハナバチ類を調べてみた。半砂漠化地域で緑化植物として注目されているギョリュウ属 ***Tamarix***（ギョリュウ科）（図９）は、乾燥や塩類にも強く、ユーラシア、アフリカの半砂漠地帯に分布し、約90種が知られ、中国では17種が報告されている。この植物に訪花したハナバチ類は、ムカシハナバチ科のメンハナバチ ***Hylaeus***（20％、その花の採集総個体数に占める割合、以下同）、コハナバチ科の ***Nomioides***（15％）、***Halictus***（***Seladonia*** 亜属）（10％）が上位を占めた。ギョリュウは4月から9月頃まで断続的に開花し、季節によっても地域によっても送粉者は多少異なる。中国新疆ウイグルでの上位送粉者は

図11　イシククル湖北岸での営巣地の調査（キルギスタン）

Nomioides, *Halictus*（*Seladonia* 亜属）、コハナバチ属 *Lasioglossum*、カザフスタンではハキリバチ科のハキリバチ属 *Megachile*、コハナバチ科の *Nomiapis* の順でそれぞれが上位を占めた。また、5月下旬から6月中旬にかけて草原に広大に広がるセイヨウアブラナ（図10）では *Lasioglossum*（54%）、*Andrena*（35%）が上位を占めた。また、乾燥地に多いマメ科 sp. では、*Andrena*（41%）が主要な訪花ハナバチであった。前述のギョリュウについては意外な訪花者、送粉者が浮かび上がってきたと言える。コハナバチ属やハキリバチ属を除き、全体としての採集個体数が多くないハナバチ類が、この植物への特異的な訪花を行っていることがわかった。ハナバチ類はその発生期と植物の開花との同時性が狂うと生存の危機につながることから、一般に特定の花や狭い範囲の花を訪花する狭訪花性の種は少ない。発生した時期に開花している植物を効果的に利用するためには広訪花性の方が有利であるからである。特に温暖化が進む今日、特定の

図12　地中の花粉団子と育房内の *Halictus palustris* の幼虫（キルギスタン）

生息地や特定の植物を訪花する種は絶滅の危険にさらされている。半砂漠化地域には特異な植物やそれに特異的に訪花するハナバチ類も多いと予想される。われわれはそのような植物－ハナバチの相互関係を今後も明らかにしていきたい。

我々のプロジェクトでは、主として前述のような植物と特異的な相互関係を持つハナバチ類について、その営巣地を見つけ（図11）、将来の保全につながる営巣習性を調べることも大きな目的の一つである。我々はこれまでにも多数のハナバチ類の営巣地を発見しているが、ここでは2014年6月にキルギスタンの首都ビシュケク南部で調査したコハナバチ科の *Halictus palustris* Morawitz の営巣地について少し詳しく紹介したい（宮永、2015）。営巣習性の研究は分担者である宮永龍一教授（島根大学）が担当した。営巣地はビシュケク南部のコイ・タッシュ村からアラムダン川に沿って南へ約20キロメートルにある標高1865メートルの草原中にあった。アラムダン川右岸の東に面してなだらかに傾斜した草原の南端部で、遊歩道に沿った日当たりの良い裸地の一角（およそ

3メートル×15メートル）にあった。付近には小川があり、遊歩道に加え、放牧された家畜の通り道などが交差していた。営巣地は小石交りの砂地で、腐葉土等はほとんど含まれておらず裸地状で、人畜による踏み圧によるものと推察された。巣は比較的狭い範囲に密集しており、最大密度は20巣／平方メートルであった。調査は6月6日と22日の2回行い、ともにそれぞれ2巣を発掘した。巣の構造は育房が側坑を介することなく主坑に接続されており、主坑の長さは平均199・0ミリメートル（最短140ミリメートル、最長290ミリメートル）で、鉛直方向にほとんど屈曲することなく掘削されおり、巣口および主坑の直径は、それぞれ平均2・5ミリメートルおよび4・7ミリメートルであった。育房は巣口から40～50ミリメートルの深さにまず第1育房が、そこから下へ第2育房が作製されていた。このことから育房の配列はコハナバチ類で典型的な上から下へ作製されるタイプであった。育房は集中的に配置されており、コハナバチ類に典型的なナス型で、頸部を除き内面は滑らかに磨かれ、分泌物によるコーティングが施されていた。育房内ステージは貯食中のものから若齢幼虫・前蛹までさまざまであった。

砂漠化地域のハナバチ類の研究と今後

アジア乾燥地帯での我々のハナバチ類の研究は今後も継続していくが、北米の砂漠化地域で行われた興味深い論文が出版されたので、紹介しこの章を終わりたい。

それは、北米南西部とメキシコ北西部にあるチワワ砂漠の2つの灌木林で行われたハナバチ類の研究である

(Minckley, 2013)。この研究はハナバチ類の種多様性（種数）と密度（個体数）が牛の放牧とどのような関係があるかを検討したもので、前年まで牛が過放牧されていた調査地と、１９７９年に牛の放牧をやめ22年以上にわたって未放牧の調査地を使用し比較している。その結果は、放牧の結果、ハナバチ類の個体数は減ったが、種多様性や種構成は変化しなかったというのである。また、特定の植物に訪花する花粉スペシャリストのハナバチ類が減少すると思われたが、予想に反して、多くの花を訪花する花粉ジェネラリストのハナバチ類と同様の反応を示したことである。ハナバチの相対量の最も多かったのは、草原、未放牧地、最近まで放牧されていた河岸地で、これは植生の豊かさと一致しているという。この研究は、ハナバチの種多様性は、ある程度限定された地域では中程度の撹乱では維持できることを示した。調査地を通じて種構成に均質性があることは、大部分の種が放牧にもかかわらず生き残っていることを示している。最近まで放牧されていた調査地は１９７９年から未放牧の調査地より、全体の個体数が減少し、シングルトン種（一個体のみしか採集されなかった種）の割合が増加した。長期間の放牧のためにハナバチ類の個体数（密度）は減少していたが、ハナバチ群集の種多様性と種構成はかなり高く維持されていたという。

牛の放牧密度が高く連続的な放牧は、ハナバチ類に大きな負荷がかかるのは事実である。羊とヤギは、牛よりもより深刻な影響をハナバチ類に与えるように見える。牛の放牧とハナバチ群集の関係の研究では、放牧がハナバチの集団密度や種多様性に影響がないと結論付けている研究者もあれば、よい影響を与えているとする研究者、悪い影響を与えている研究者があり、結論はまちまちである。これらは研究地域、期間、サンプリング方法（パントラップ、ネット、観察等）の違いがあるために一概に評価できない。これらの研究の結果としては、すべてのハナバチ種は必ずしも放牧に対して同様な反応を示すのではないということである。英国のチョーク草原で行われたマルハナバチの種は大部分（5種中4種）が、最近の牛の放牧により数が増えたが1種だけは強く反応し減少した。これとは対照的に、スウェーデンでは、4種のマルハナバチが大きな放牧圧で減少したが、1種は同じ条件で増加した。このように植物と送粉者間の相互作用の研究によって、予期しない複雑な反応がみられることが明らかになってきている。

放牧に対するハナバチ類の反応については、単純に減少するわけではなく、放牧強度と持続期間、草食動物の種類とその摂食習慣、ハナバチ種の生活史等によって変化するようである。従って、ハナバチ類の保全のためには、十分な生態学的調査が必要であり、その上にたった保全のための提言がなされることが望ましい。そのためには当然のことながら群集生態学、あるいは送粉生態学の基礎となる正確な種の同定が必要であり、その発展の基礎を固めるためにも、我々はハナバチ類の多様性の研究を確実なものとしていきたいと考えている。

引用文献

Biesmeijer, J. C. et al., 2006. Parallel declines in pollinators and insect-pollinated plants in Britain and the Netherlands. *Science*, 313 (5785): 351-354.

Ghazoul, J., 2005. Buzziness as usual? Questioning the global pollination crisis. *TRENDS in Ecology and Evolution*, 20 (7): 367-373.

Kruess, A. & T. Tscharntke, 2002. Grazing intensity and the diversity of grasshoppers, butterflies, and trap-nesting bees and wasps. Conservation Biology,16(6): 157-1580.

Michener, C. D., 2007. The Bees of the World (2nd ed.). Johns Hopkins University Press. Baltimore and London.

Minckley, R. L., 2013. Maintenance of richness despite reduced abundance of desert bees (Hymenoptera: Apiformes) to persistent grazing. Insect conservation and diversity, 1-11.

宮永龍一２０１５、キルギス共和国における野生ハナバチ類の営巣生態と巣の構造。http://konchudb.agr.agr.kyushu-u.ac.jp/silkroad/

Ollerton, J., R.Winfree and S. Tarrant, 2011. How many flowering plants are pollinated by animals? Oikos, 120: 321–326.

Tadauchi, O., 2005. Field studies on wild bee fauna and pollination biology for combating desertification and planting campaigns in Asian arid areas: A report for the year 2000 to 2004. Esakia, (45): 1-8.

多田内　修　２００６、ハナバチたちのアジア。九大アジア叢書７　昆虫たちのアジア、pp. 41-69. 九州大学出版会

Xie, Zhenghua , P. H. Williams and Ya Tang, 2008. The effect of grazing on bumblebees in the high rangelands of the eastern Tibetan Plateau of Sichuan. Journal of Insect Conservation.12: 695–703.

Yoshihara, Yu et al., 2008. Effects of livestock grazing on pollination on a steppe in eastern Mongolia. Biological Conservation, 141: 2376-2386.

執筆者一覧

大槻　恭一　九州大学大学院　農学研究院　環境農学部門　教授
（第1章）

鹿島　　薫　九州大学大学院　理学研究院　地球惑星科学部門　准教授
（第2章）

安福　規之　九州大学大学院　工学研究院　社会基盤部門　教授
（第3章）

古川全太郎　九州大学大学院　工学研究院　社会基盤部門　助教
（第3章）

宮本　一夫　九州大学大学院　人文科学研究院　歴史学部門　教授
（第4章）

佐藤　廉也　九州大学大学院　比較社会文化研究院　環境変動部門　准教授
（第5章）

多田内　修　九州大学大学院　理学研究院　生物科学部門　特任教授
（第6章）

九州大学 東アジア環境研究叢書Ⅵ

東アジアの砂漠化進行地域における
持続可能な環境保全

2015年3月20日 第1刷発行

編 著—— 九州大学東アジア環境研究機構
砂漠化防止グループ

発行者—— 仲西佳文

発行所—— 有限会社 花 書 院
〒810-0012 福岡市中央区白金2-9-2
電 話（092）526-0287
ＦＡＸ（092）524-4411
ISBN 978-4-86561-027-7 C3051

印刷・製本—城島印刷株式会社